《科学・技術英語の語法百科》

早稲田大学名誉教授/東京電機大学客員教授/教育学博士
篠田義明

南雲堂

まえがき

科学・技術分野の研究者や学生が，英語で論文やレポートを書くとき，ビジネス･パーソンが各種英文書類を作成するとき，英訳しているときに，遭遇する難点の解決の一助となることを目的として，まとめたものが本書である。この分野でご研究やお仕事をしている方，翻訳者，理工学専攻の学生に必須の書であると確信している。

アメリカの或る学会誌が，この分野の日本人が書く英語は，幼稚 (childish) だ，とか，詩 (poetry) のようで表現か稚拙だとか，滑稽だとか，解りにくい，と評している。その結果は，あたら素晴らしい科学知識や技術を持ちながら，その真価が認められず，徒労に終わるばかりか，信用を失ったりしているのである。口語中心の学校英語は，科学・技術分野の論文や実用文には不適といえる。そこで，学校英語を基盤として，その上の領域であるこの分野の英語を習得しなければ，研究論文や各種実用文書が認められないのである。従って，本書に記した英文や和文は，英文和訳や和文英訳の時に参考になると確信する。

この分野の研究者や大学の理工系の学生は，いくら立派な研究をしても，考えがあっても，書いて発表しなければ認めて貰えないので，真に明確な英語で論文を書く必要性が迫られている。この分野の英語には，特有の語法や用法があるので，いくら英語に堪能な人でも，そのルールを知らなければ，その人の書いた論文の真価が発揮できず，認めて貰えず，信用を失うことにつながるのである。自動翻訳した後も，このルールに則った修正をしなければ，無用に終わる結果となる。

家はどのように建てても良いが，一定の規則を守って建てられなければ安心して住めない。この分野の英語，つまり，論文・レポート，各種説明書，仕様書，提案書，カタログなどには，それぞれの英語に文体 (style) の相違がある。この style が，日本の研究者やこの分野で仕事している人の一番の欠陥で，書類の 92 パーセントにも及ぶ，とイギリスの英語の専門家が指摘している。本書では，この style についても明記したので，是非，修得して頂きたい。

1980年頃，アメリカでは400近い大学で，Science and Technical Communicationという科目で学生が指導されていた。私は，名高いアメリカのミシガン大学で，この英語を解明するために指導を受けた。そして，それに則って，幅広い資料で研究し，この分野の英語の真髄を把握し，基本となる事項を整理し，日本の研究者や学生に適応する内容にしたのが本書である。ミシガン大学で，当時，指導していたシラバスは，拙著『コミュニケーション技術』（中公新書）で紹介している。

利用し易い点を考えて，目次を明細に記した。なお，本書で頻繁に使用されているone-word・one-meaning（一語一義），one-sentence・one-idea（一文一概念），one-paragraph・one topic（一段落一話題）は，篠田の造語であることをお断りしておく。

本書は『工業英語の語法』（研究社）で1977年に出版したものを，現代のICT時代に適するように加筆・修正したものである。編集に際し，次の方々に協力をいただいたことを付記する：青柳由紀江　有原晃　江連敏和　大本道央　金徳多恵子　国土希代子　小屋多恵子　塚本睦子　原田慎一　前田秀夫　本橋朋子　森田彰　山田茂　渡辺洋一。

出版にあたり，南雲堂の加藤敦氏に甚大なるご協力を頂いたことに，厚く御礼申し上げる。

(2023・春)

目　次

科学・技術英語の語法百科

1. 科学・技術英語の特徴

科学・技術英語について，多くの批評家は「主題と内容を正確に (accurately)，効果的に (efficiently) 伝える文」と述べている。ミシガン大学の W. E. Briton 教授は，次のように表明している。

Technical writing is the form in which you try to express yourself so clearly that the reader cannot drive more than one meaning from what you have written.（テクニカル ライティングとは，あなたが書いた事柄を読み手に一意で理解させるように明確に述べようと心掛ける一形式である）

Briton 教授の，cannot drive more than one meaning は，正に至言である。つまり，「何時，誰が，読んでも誤解のないように伝達する文」であり，読み手が正確に理解できなければならない文なのである。科学・技術英文は bugle call（合図のラッパ）だと明言している。つまり，文学やエッセイはシンホニー (symphony）に例えられ，聞き手，場所，聞くときにより，伝わり方が変わるといえよう。この分野は多方面にわたっており，専門用語と研究分野は異なっても，文書内の語法と論理構成は同じと解せる。

そこで，この分野の論文，レポート，実務文書などを正確に，明確に，効果的に作成するときの提案点を，次に述べる。

1.1 基本 10 項目

(Ten steps to writing effective science and technical articles）

1) **Show your originality.**

「独創性を示す」ことで，これは，論文などでは必須の事項である。

2) **Write for an identified audience.**

「読み手を考え，読み手に適したように書く」ことで，議事録，契約書，提案書，カタログ，マニュアル，新聞などとは読み手が異なるので，スタイル (style)，語調 (tone)，論理構成などに注意しなければならない。人称代名詞（I や you）を使い過ぎないように注意。主語を人称ではなく，キイワード (keyword) にすることを勧める。

3) **Use discipline-related terms and concepts.**
「専門分野に適した単語，用語を使用する」ことで，「工場」に factory，「川」に river のようなあい昧な単語の使用に注意。Always observe 'one-word・one-meaning.'（「一語一義」を守る）[one-word・one-meaning「一語一義」は篠田の造語]

4) **Use a clear sentence.**
「明確な文を書く」ことで，不要語などを削除。文と文を結ぶ **and** や接続詞の使用に注意。
Always observe 'one-sentence・one-idea.'（「一文一概念」を守る）こと [one-sentence・one-idea は篠田の造語]

5) **Provide a thesis statement.**
「文書の論題を明確に述べる」ことで，これは通常，序文で述べる。「Fact A; however fact B. + Purpose」の内容を勧める。

6) **Include a topic sentence in each paragraph.**
「それぞれの段落は要約文から書く」ことでは，その段落に適した要約文を必ず書く。

7) **Add supporting details logically to each paragraph.**
「それぞれの段落では，要約文を支持する各論を論理的に書く」ことで，要約文とそれを支持する各論は内容上一致していなければならない。Always observe one topic in each paragraph.（一段落一話題を守る）[one-paragraph・one-topic は篠田の造語]。各論は，重要な順，時間順，空間順，アルファベットなどの順序を守り，論理的に展開する。

8) **Provide transitions that guide the reader from the ideas presented within and between paragraphs.**
「段落内や段落間の内容を読み手に案内するような連結語を使う」ことで therefore，however，in addition のような連結語を適切に使用することを勧める。

9) **Use headings and subheadings to guide the reader.**
「見出し（語），小見出し（語）を書く」ことで，状況に応じて

Introduction，Conclusion，References. も書く。本文中の見出しは，次のような方式を守る。

1. …………

1.1 ………

1.1.1 ………

第二見出しは第一見出しから，第三見出しは第二見出しから，少し引っ込めて（indent）書く。

10) **Quote and paraphrase appropriately and correctly, and provide a list of references according to the standards you have been given.**

「参照文献は，提出先の基準に合わせ，適切に，正しくまとめる」ことで，自説を育成し，強化するような参照文献を選び，引用する。

注：5) から 10) までは『科学技術英文の論理構成とまとめ方』(南雲堂) の参照を勧める。

次に,「文書を作成する際の基本 10 項目」を内容上からと文体上から，それぞれの特徴を詳述する。

1.2 内容上の特徴

科学 (化学や医学)・技術文は，先ず，題材を順序正しく表現しなければならない。その際，事実を明解に，正確に，かつ，独創的，客観的態度で詳述することである。読む人により内容が異なっては，製品を正しく作動させることも，実験を正しく行なうこともできないばかりか，生命をも左右しかねない。事実を述べることに専念し，データとその適用範囲をよく守り，注意事項は躊躇せずに述べる態度が肝要である。説明書の一部，カタログの一部，広告などでは，誇張が重要な要素となることもあるが，この他の領域の文献や書類では，誇張はしばしば誤解を与えるので避けねばならないし，感情に走ってもならない。絶えず活動を述べるが，人が何をするかよりも，ある事象で，何が，どのように起こるかが中心となる。

ガラスを例に取ってみよう。普通の小説などでは「透明」「堅い」「もろい」「色つき」などと説明すれば良いが，科学・技術分野では，これでは不十分である。「原料は何か」「製造法は」「強度は」などを正確に書き表すことである。

1.3 文体上の特徴

1.3.1 直截的な表現

Call a spade a spade という諺がある。これは「ことばを飾るな；ありのまま言う」ことで，誤解の介入する余地が絶対にあってはならない科学・技術英語で守る重要な点である。

科学・技術英語は新しい英語ではない。基本文法事項に忠実で，英語の規則をよく守り，論理構成を守った無味乾燥な文である。したがって，同じ事柄を何度述べても，同じ論理構成で，同じ文章で，同じ単語を用いるのが普通である。一度決めたら，途中で変えないで，その語を一貫して使用することである。つまり consistency in the words である。

例えば,「温度が上昇した」はThe temperature rose/has risenである。rose にすべきか has risen にすべきかは状況により各自で決めなければならないので，このようなことは，基本文法事項の知識が要求される。

「鉄は熱すれば膨張する」は Iron will expand/expands when (it is) heated である。will expand にするか，単に expands にするかは状況により決めるが,「膨張する」には expand を使うことである。when it is heated は，文語体の論文などでは when heated とするのが常態であり，難しい事柄ではない。これも英文法や英語の style の基礎知識の範ちゅうに入る。格式ばった論文などでは when heated が好まれる。

「上に述べた方法の逆を行なえ」は Reverse the above procedure か Reverse the procedure (mentioned) above のいずれかが多用されている。これらからも分かる通り，美辞麗句などを用いず，決まった表現をするのである。「方法」には，ここでは procedure 一貫して使うことである，読む人により受けとる内容や程度が異なるような単語を使ったり，文を書くのは避けるべきである。しかし，読者層の厚い取扱説明書やカタログの General description（商品についての一般事項）や広告などは例外であることはいうまでもない。

科学者や技術者が，これから機械を使おうとしているとき，文章を観賞しているような時間的余裕などないのである。明確，正確な用語，簡潔な文章，「起承転結」ではなく「起承結」の段落構成や段落間の構成で述べるべきである。

私は，この状態を 1970 年代後半に，次の用語を造語して，以後，日米で指導する際に使用している。

・one-word・one-meaning　（一語一義）
・one-sentence・one-idea　（一文一概念）
・one-paragraph・one-topic　（一段落一話題）
・one-document・one-purpose　（一書類一目的）

なお，「一語一義」「一文一概念」については本書で後述するが，「一段落一話題」「一書類一目的」については，『科学技術英文の論理構成とまとめ方』（南雲堂）を参照されたい。

1.3.2 専門用語と準専門用語

マニュアル（取扱説明書）やカタログの宣伝部分や広告文などでは，使用者の多くが専門家でないため，専門用語や準専門用語の使用を避ける傾向があるが，これ以外の文書では専門用語と準専門用語が中心となっている。英語を母語としている人からは，科学・技術文は，特殊な名詞と形容詞から成っているように思えるそうである。そして，これらは常に決まっているので，いたずらに変えてはならない。computer（コンピューター），fuel（燃料），motor（モーター），mobile telephone（携帯電話），thumb（親指）などを他の語で置き換えられては困るのである。いかなる場合でもこの分野では，これらの語を用いなければならない。

一つの分野で使われ始めた専門用語も，次第に他の分野に入いる傾向がある。準専門用語，例えば reaction（反作用，反応，反動）なども，化学分野で an alkaline reaction（アルカリ性反応），物理の分野で a nuclear reaction（核反応）のように用いられると，専門用語になる傾向にある。従って，専門用語と準専門用語の区別のつかない語が多く存在することになる。

本書では，次の →のような語を準専門用語と呼びたい。

to change → **to convert**

about → **approximately**

economic productivity → **efficiency**

to find an answer of → **to solve**

to figure out → **to calculate**

しかし，この準専門用語は概して綴字の長い big words であるから，使用するのを避けるべきだと提唱し，次のような formal と simple の語を対照させている本 (L.G. Perkins & J. L. Cranor: *Professional Technical Writing*) もある。

Formal	Simple
approximation	estimate
disseminate	distribute
extricate	release, free
phenomenon	occurrence
promulgate	announce, publish, proclaim
purchase	buy
purchasing agent	buyer
utilize	use

しかし approximation や phenomenon が使えなくなったら不便であるし，announce や publish や proclaim，distribute や release が，何故 simple words なのだろうか。disseminate, promulgate, extricate のような語は好んで用いられる語でもない。「購買力」を purchasing power,「近似値」を approximate value というので，これらの語は使わないわけにはいくまい。

私は Don't use 'use.'（use を使うな）を提唱している。状況にもよるが use は, あい昧だからである。例えば,「自動車はガソリンを使う」(The car *uses* gasoline.) は日本語でも，あい昧である。The car runs [drives] on gasoline. は学校英語である。実務には The car operates on gasoline. が適切である。

同書は，さらに，次のように説明している。

Well known sayings and children's rhymes are expressed in simple words. If we try to express them in "big" words, they become confusing and almost impossible to understand. (良く知られている諺や童謡には簡単なことばが使われている。それらを大げさな言葉で表現をしようとすれば混乱して，ほとんど理解できなくなる)

この考えは，saying と children's rhyme を科学・技術文と比較させているところに無理がある。children's rhyme で書かれた論文は読む人にどんな影響を与えるだろうか。saying も科学・技術分野ではほとんど用いないだろう。

更に，使い過ぎの語 (overworked words) として，次のような語をあげ，カッコ内の語を提唱している。

(1) activate (start), approach (answer, solution), approximately (about), assist (help), communicate (write, tell), consider (think), demonstrate (show), endeavor (try), facilitate (ease, simplify), function (work, act), investigate (study), terminate (stop), transmit (send)

activate の使用が不適切ならば，すでに専門用語として決まっている activated carbon (活性炭) をどういったら良いのか，approach plate (導入板) はどうするのか，transmitter (送信機，伝送器) は，どうするのかといった疑問が残る。

T. H. Savory は *The Character of the Language of Science* では，次のように述べられている。

The scientist is to be envied because he does not have to select his words from among groups of alternatives.... (科学者は，代わりになる多くの語の中から使う語を選ばなくても良いので羨ましいと思われる筈だ ....)

このことは，裏を返せば，ほとんど決まった語が用いられており，選択を間違えれば取り取り返しの付かないことになることを暗示している。

専門用語と準専門用語の大半は国際間で完全に通用するものである。数式や記号を使うときと同様，われわれは選択に細心の注意を払わねばならない。

acceleration と velocity，capacity と rating，cement と concrete，job と work，mass と weight，purpose と object，rate と ratio などは，科学・技術分野ではそれぞれ内容が異なるのである。approximately, assist，communicate，consider などは文語体 (literary style; formal style) であり，about，help，write，tell，think などは口語体 (colloquial style) なのである。

1.3.3 文語体の多用

専門家以外を対象にした取扱説明書やカタログの一部，広告などは口語体が中心といえるが，この部分とて，ひとたび機構の説明に入ると堅苦しい文語体に変わる。論文，レポート，仕様書などは文語体が普通である。

すでに述べたように，科学・技術分野では美文を目標にしていない。Style is the man (文は人なり) も当てはまらない。Anglo-Saxon 語から派生した語よりも Latin 語からの語の方が綴字が多いので，文語表現に適する。したがって，矢印の語が好まれる。

(2) bad → **disadvantageous**, **harmful**, **inauspicious**, **negative**, **substandard**, **unaccepted, etc.**

be, do, have → あい昧，かつ幼稚だから本動詞としては，あまり使用しない。

big → **important**, **influential**, **major**, **powerful**, **significant**, **substantial**, **substantive, etc.**

get → **accept**, **acquire**, **adjust**, **apprehend**, **approach**, **confuse**, **contact**, **defeat**, **experience**, **gain**, **obtain**, **procure**, **receive**, **understand, etc.**

give → **allow**, **contribute**, **donate**, **obtain**, **organize**, **present**, **produce**, **provide, etc.**

good → **advantageous**, **beneficial**, **benign**, **excellent**, **positive**, **superb**, **valuable, etc.**

need → **be deficient in**, **be indispensable**, **be necessary for**, **require, etc.**

他に，now，make，nice，put などがあり，多いので，拙著『ICT時代の英語コミュニケーション：基本ルール』を参照されたい。本書では「名詞」「動詞」「形容詞」「副詞」の項目にて説明している。

科学・技術文で往々用いられる気どった文体 (pompous style) が，長い単語を用いさせる要因の一つになっている。

(3) The device *turns out the lights* automatically. (その装置は自動的に明りを消す)

(4) Citric acid *is soluble* in ethyl alcohol. (くえん酸はエチルアルコールに溶解する)

(5) The surface *is not strong enough*. (その表面の強さは十分でない)

の文は，それぞれ次のように表現される傾向にある。

(3’) The device terminates the illumination automatically.

(4’) Citric acid possesses the quality of solubility in ethyl alcohol.

(5’) The surface lacks the property of strength.

これらは堅苦しいが，逆に，理解し易いときもある。表面だけの一次的な意味で決まるので，文の表面に現われていないものを補足しながら考えなくとも良いからである。これが，科学・技術文は単語の意味さえわかれば，比較的内容が掴み易いといわれている原因の一つだろう。

(6) The answer to the first question is *evident* from the method of treating forces already *developed* in statics. The use of a single vector to *represent* a distributed force greatly *simplifies* the calculation.（最初の質問に対する答は，静力学ですでに使われている力を扱う方法から明らかである。分配荷重を表わすためにベクトルを 1 つ使うと計算が非常に簡単になる）

(7) It is hoped that the information *provided* will *contribute to* a safe *utilization* of the *increasing* complex equipment in the field of aerospace operations.（与えられた情報は大気圏内外での作業でますます複雑化する機械を安全に使用するのに貢献するだろうということが期待されている）

イタリックの語は堅苦しいが，逐語的に訳しても内容の理解をほとんど妨げない。すでに述べたように，科学・技術文で含蓄のある語や表現を極力避け，専門分野の誰が読んでも正確に内容が理解できることを目的としているからである。

1.3.4 表現の具体性

科学・技術分野の英語は婉曲語法 (euphemism) や誇張 (exaggeration) を避けて，簡潔 (concise) で，客観的 (objective) に表現し，用語も特殊化しているので，千差万別な表現でないことは既に述べた。具体的に例証してみよう。

例えば office person とか office personnel（社員）では，ばく然としている。repair person（修理工）とか sales engineer（セールス・エンジニア）などの方が具体性に富んでいる。people，person，thing，goods などもあい昧である。flower よりは daisy（ヒナギク）とか chrysanthemum（キク）という方が具体性に富むし，誤解の余地がない。「糸を通した」も日本語に惑わされて The threading is done/completed. はあい昧である。何に通したか解らないからで The needle was threaded.（針に糸を通した）が明確といえる。具体的な表現には修飾語（句）(modifier) の果たす役割が大きい。用いる

modifierにより内容が正確にもあい昧にもなるので，その選定は極めて重要である。

次の語は使用に際して注意すべきである。

big, cold, complete, heavy, hot, large, many, satisfactory, thorough, very, wonderful, to a certain extent, to some degree, more or lessなど枚挙にいとまがない。このように述べる人により程度や効果の異なる語句の使用は慎重であらねばならない。be thoroughly compactedのようなときはbe compacted to 99 percentなどのように工夫すると良い。very strongもas strong as ironとかstronger than ironのほうが具体的である。Adjust the machine in the usual way.（いつもの方法で機械を調節せよ）もin the usual wayをaccording to Procedure Aなどに変えたい。

(8) They were washed in cold water without using soap.（それらは石鹸を使わないで冷水で洗われた）

も科学・技術文としては極めてあい昧でcoldの程度が解らない。そこでin 3℃ waterのように具体性を持たせるべきである。米英では温度をFで表わす習慣があるから，できればF（華氏）で表わすほうが良い。

(9) This action will continue for a long time.（この作用は長く続くであろう）

もあい昧。for a long timeをfor ten minutesとかas long as the lever is depressedなどにすれば明確になる。

(10) The car shot off with lightning speed.（自動車は稲妻のように走った）

も口語的である。shot offは科学･技術文ではあまり用いられないし，with lightning speedでは，どうにもならない。科学・技術文では飾り立てた文は不明確だから困るのである。The car ran at 100 mph.などのように簡単に，かつ明確に述べれば良い。

以上を要約すると次のようになる。

1.3.4.1 隠喩を避ける

取扱説明書やカタログの一部や広告などでは隠喩を用いても良いが，論文，レポート，仕様書，操作法などの説明書などで，Life is a journey.（人生は旅である）のような比喩的表現は避けるのが普通である。

科学・技術分野の英語は具象的表現が中心のため,「雪のはだ」「りんごのほお」のような抽象的，比喩的表現の介入する余地もない。

We are in deep waters.（ひどく困っている）は科学・技術分野ではWe are in great trouble/a difficult situation. というのが普通である。つまり，科学・技術分野では，deepは常に「深い」，waterは常に「水」を意味するので「われわれは深い水にもぐっている」ことになってしまう。a square peg in a round（不適材不適所），burn the candle at both ends（精力 / 財力などを浪費する）も文字通り「丸い中に四角な釘」「ろうそくの両端を燃やす」ことになる。したがって，*a mountain of waves*（山のような波），*a mine of information*（知識の宝庫）のような表現もできる限り避けるべきである。

1.3.4.2 類推を避ける

類推は，読者がよく知っていると思える事柄を例に出して，それと比較しながら説明する重要な技法だが，しばしば，あいまいになるので科学・技術分野では避けたほうが良い。具体的なデータなり,数値で表わすべきだろう。次の2文を比較されたい。

(11) Accelerate your car *to 100 mph*.（時速100マイルまで加速せよ）

(12) Accelerate your car to *such that if your car were so speeded up it would cover Highway 5 within 10 hours*.（車のスピードをあげれば，Highway 5を10時間以内で走れるような,そのようなスピードにまで加速せよ）

(11)はto 100 mphと具体的に表現しているのに反して,(12)では活気を与える文にはなっているが，運転者はどの位の速度にまで加速して良いのか分からない。不明確なため科学・技術文では避けたい。if 構文も口語表現になるから使用は注意した方が良い。

1.3.4.3 説明的表現を避ける

説明的表現は長くなり，そのう上，あい昧になるから，その場に合った専門用語か準専門用語があれば，それを用いる。素人に，くどくどと平易な単語で説明することは避ける。

how to stop *the flow of water out* of the pipe（パイプの漏れの止め方）のイタリックの部分はまわりくどい (redundant) 表現である。how to stop *a leakage* of the pipe のほうがわかりやすく簡潔で使用する語も少なくて済む。

The pendulum swings from side to side.（振子は左右に動く）も科学・工業分野では The pendulum oscillates. が普通である。

これらについては後章（§4.3-4 参照）で詳述する。

1.3.4.4 あい昧な表現を避ける

科学・技術文は，あい昧な表現には最も注意を払わなければならない。読者により受けとる内容に相違をきたしてはならないからだ。あい昧な英文の派生する要因はたくさんある。修飾語（句）の位置，代名詞，句読法，用いる語などが，先ず，考えられるが，ここでは，二重の意味をもつ単語 (double-entendre) に目を向けてみよう。

right や light の意味を問われても即答できないことがある。このような語は，right は「右（の）」が，light は「軽い」が，代用語がとぼしいので，この意味が優先することになる。しかし，light は「明り，光」の意味もあるので，前後関係から判断が要求される語である。「正確な，正しい」は right のかわりに correct や accurate が優先することになる。

(13a) This was the *last* experiment he wanted to do.

(13b) これは彼が行なおうと思っていた最後の実験だった。

(13c) これは彼が一番したくなかった実験だった。

(13a) は (13b), (13c) の 2 通りの訳ができるので，あい昧な文である。つまり last，ここでは「最後の」と「決して～しそうもない」の意味にとれるのである。

(14) This experiment was performed at my *convenience*. も「この実験は私の都合の良いときに行なわれた」と「この実験は私のトイレで行なわれた」の 2 通りが考えられるが，イギリス英語らしい，このような語の使用には慎重であらねばならない。

2. 用語の特異性

One-word・one-meaning という考え方

明確，正確に伝達することが必須の科学・技術英語は，先ず，選択する用語が大切である。『ももたろう』の書き出し「おじいさんはやまへ，おばあさんはかわへ…」の「やま」は英語では hill,「かわ」は多くの訳書は river としているが，洗濯する川は，正確には brook である。民話なら river でも許されるだろうが科学・技術文では誤解を招くことになる。

そこで,「工場」を英語で factory では学校英語では許されるが，科学・技術分野では許されない。あい昧であるから翻訳者は注意が肝要である。図示してみよう。

One-word・one-meaning の考え方

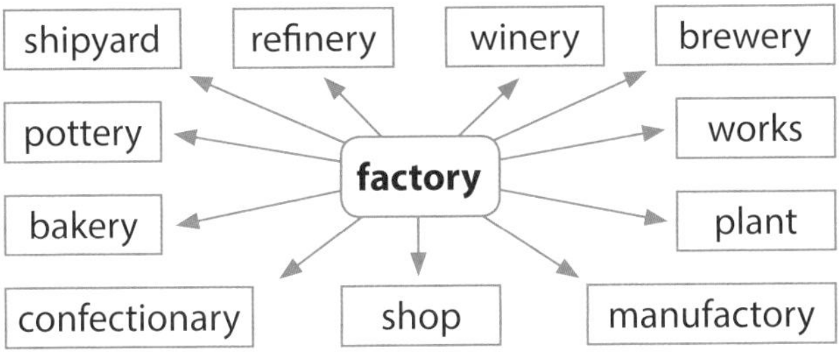

shipyard
refinery
winery
brewery
pottery
works
factory
bakery
plant
confectionary
shop
manufactory

factory だけでもこのような現象がみられる。pottery は「陶器工場」, works は「製作所」, confectionary は「菓子製造所」, plant は「近代設備が整った製造工場」, bakery は「製パン所」, mill は「製粉場」, shop は「仕事場」, manufactory は「製造所」である。他にも laboratory（薬品などの製造所）, foundry（鋳造所）, workshop（作業所）などがあるので,『科学・ビジネス英語活用辞典』（研究社）や Thesaurus 英々辞典などで確認することを勧める。

2.1 一般的な傾向

科学・技術英語の特徴を端的に表わしているものが vocabulary である。科学技術の急速な進歩発展にともない，内容を正確に，かつ簡潔に伝達するための数多くの用語が日々誕生し，われわれの日常生活に浸透してきている。これらの用語は，ひとたび決まると，一種の国際語として用いられる傾向がある。

Mario Pei は *The Story of Language* で「文明国家で用いられている語彙の半分以上が科学・技術用語であり，その多くは国際間で完全に通用するものである」と述べている。科学・技術分野は，この本が刊行されてから目ざましい発展を遂げているので，われわれは科学・技術分野の専門用語に取り囲まれた生活をしているのである。

では，いかなる特異性を具備しているのだろうか。

2.1.1 専門分野による意味の相違

科学・技術英語の特徴の一つは，用語が one-word・one-meaning（一語一義）であると述べたが，新しい現象や物体が生まれれば，それらを説明するための新しい用語が作らなければならない。そこで，各分野により意味・内容の異なる用語が出現するのである .

例えば differential は，数学では「微分」，生物では「特異形態」，機械では「差動装置」のことになる。operation は，機械などでは「運転，操作」のことだが，医学分野では「手術」，数学では「運算」，コンピューターでは「演算」，operations と複数形だと飛行場の「管制室」，軍では「作戦」と多様である。

この種の混乱を防ぐためには，適切な訳語が分からなければ，カナ表記するか，カナと英語を併用するのも一つの方法である。日常よく用いられている次のような用語が，分野により，如何にその意味・内容を異にするか考察してみよう。

battery　①電池　②（軍隊の）砲台　③（台所などの）道具一式

beam　①【建築】けた，はり　②【船舶】船幅　③【物理】秤の竿　④【光学】光線　⑤【理科】光束　⑥【電子】有効可聴範囲，信号電波

frame　①（飛行機の）機体骨組　②（写真のフイルムの）コマ

③（通信機などの電気機械を装置する金属製のたなで）架　④（機械の）わく　⑨（土木の）洗鉱盤　⑥（印刷の）植字台　⑦（キャビティを固定する金型部分の）型枠，チェース　⑧（建築の）骨組，窓枠，張り枠，架構　⑨（テレビで，連続した走査線で送られる1つの映像である）フレーム　⑩（電算機の）構成単位

gate　①（鋳型の）湯口　②（電子工学のパルス信号の）ゲート ③（運河などの）水門，扉

screen　①（写真の）網目フィルター　②（光学の）濾光器　③（電気などの）遮壁　④（建築の）網，ついたて，ふるい　⑤【印刷】網，綱目スクリーン　⑥【気象】百葉箱　⑦（テレビなどの）吹写スクリーン

trap　①（鉱坑の）通風口　②（鉛管などの）防臭弁　③（地質学できめの細かい黒ずんだ火山岩の）トラップ　④【建築】せりだし，はね上げ戸　⑤（電子工学で高周波回路につける）トラップ回路

tube　①（郵便物を圧さく空気で送る）気送管　② 試験管　③ 真空管　④トンネル　⑤チューブ［同じ「管」でも「血管」は vessel］

日常語と同じ姿の専門用語にも，意味や内容に相違を来す語があるから注意すべきである。

先ず，和文英訳で「電気自動車」は electric car だが，「電気掃除機」は electric cleaner ではなく，vacuum cleaner であり，「電気スタンド」は床上用が floor lamp，卓上は desk lamp である。

英文和訳の場合も，machine shop，machine work がそれぞれ「機械工場」「機械仕事，機械の仕上げ」だからといって machine tool は「機械道具」とはならず，「工作機械」である。machine table も「工作台」のことである。first coat も「最初の塗り」というよりは「下塗り」，hardening も「強化」よりも「焼入れ」，house sewer も

「私設下水，敷地下水」，lamp black にいたっては「灰墨（はいずみ）」というのである。breaking of wire は disconnection（断線）のことだからといって，break を，いつも「切る」と思っていると，電気回路を開閉器（switch）などによって「開く（open）」意味でも使われる。hot plate を「熱板」と訳したら「電気コンロ」のことであったり，fine adjustment が「立派な調整」でなく「微動調整（装置）」であったり，universal key が「万能キー」だからといっても，universal motor は「万能モーター」でなく「交直両用モーター」であったりするので厄介である。

2.1.2 動物名に由来

自然界の特定なもの，特に動物に因（ちな）んで名付けられたものが多い。ツルの首の連想から crane（クレーン，起重機）という用語が生まれ，wrench（レンチ）は，動く顎（あご）がサルが歯でかみ砕く器官に類似しているところから monkey wrench（自在スパナ）という用語が生まれた（英では monkey spanner）。

horseshoe magnet（馬蹄形磁石），spider-web coil（クモの巣コイル），bulldoze（整地する，ブルドーザーで取り除く）などがある。

2.1.3 人名に由来

発明者やその発明に影響を与えた人の名をとったものが多いのは当然の現象である。単位を表わすものに多い。

ampere 「アンペア」フランスの物理学者 Andre Marie Ampere (1775-1836) の名に因む。

bakelight 「ベークライト」ベルギー生まれのアメリカの化学者 Leo Hendrix Baekeland (1863-1944) の名に因む。

bessemer 「ベッセマー転炉」イギリスの技術者 Sir Henry Bessemer (1813-98) の名に因む。

calliope 「（蒸気オルガン）カリオペー」ギリシャ神話の雄弁で叙事詩をつかさどる女神の名に因む。

Fahrenheit 「華氏」ドイツの物理学者 Gabriel Daniel Fahrenheit (1686-1736) の名に因む。

galvanism 「ガルバーニ電気」イタリアの生理学者 Luigi Galvani (1737-98) の名に因む。

以上の他に coulomb (クーロン), farad (ファラッド), gauss (ガウス), graham (完全小麦粉で作った), henry (ヘンリー), joule (ジュール), listerine (リステリン), mercerization (マーセル加工), oersted (エルステッド), ohm (オーム), Pullman (寝台車), volt (ボルト), watt (ワット) など多数ある。

2.1.4 固有名詞や商標の普通名詞化

何かが原因で，ある特定の個人が意識的に語根創造によって作った新語が商標名には多い。よく引合いに出されるのがKodakである。アメリカの George Eastman (1854-1932) が発明した小型カメラのことであるが，綴字が間違えられず，発音しやすい短い名前を作ろうとして，意識的に母親の family name の k を 2 つ使ったらしいといわれている。彼の頭のどこかに Alaska の Kodiak という印象に残った島の名があったのではないかと憶測している人もいる。

escalator (エスカレーター) も Otis Elevator Company の商標名，Xerox (ゼロックス) も同様に商標名であったが，普通名詞になり，kodak，xerox は動詞としても用いられている。escalator から escalate という動詞も逆成 (back formation) されている。

boycott (ボイコット) や lynch (リンチ) が人名からきた語であるように，発明者の名前がそのままか，あるいは多少音声学的に修正されて，普通名詞化したケースも多い (§ 2.1.3 参照)。ドイツの発明家 Rudolf Diesel (1858-1913) から diesel engine (ディーゼル・エンジン) や diesel car (ディーゼル車) が生まれ，現在では I came over by diesel. とか I came over on the diesel. のように用いることもできる。

ほかに Klaxon (自動車のクラクション) 〔通例は大文字で始める。

一般には horn を使う〕，Sanforized (サンフォライズド加工した布地)，thermos (魔法ビン)，Vaseline (ワセリン)，yoyo (ヨーヨー)，Phillips screwdriver（プラスねじ回し）の Phillips などがある。

2.2 自由な造語

次に造語法に目を向けてみよう。

2.2.1 合成語

ギリシア語やラテン語の語幹 (root) を基にして，それに接頭辞 (prefix) や接尾辞 (suffix) が付いたり，2 語以上の合成により，新語が作り出されている。接頭辞，接尾辞は後述するとして，合成語の形態を述べてみよう。次のように分類できる。

2.2.1.1 1 語として

(a) serviceperson (修理係，軍人)，voltmeter (電圧計)，waitperson（給仕人；ウェーター；ウェートレス)，weighbridge (計量台，橋ばかり)

2.2.1.2 ハイフン付き

(b) electron-volt (電子ボルト)，ship-to-shore (船から陸へ，船と陸をつないだ)，watered-down (水で割った，品質を落とした)

2.2.1.3 句として

句 (phrase) として用いられる造語も多い。

(c) service station (ガソリン・スタンド)，water paint (水性塗料)，water-tube boiler (水管ボイラー)

音声学的に多少修正を加えて，3 語も 4 語も，あるいはそれ以上の語が合成されたケースもすこぶる多い。まさに怪物的な合成語 (compound word) である。deoxyribonucleoprotein (デオキシリボ核蛋白(かくたんぱく))，microspectrophotometer (マイクロ分光光度計)，

naphthylaminemonosulfonic（ナフチルアミン・モノスルフォンの）, monochloropentammincobalt（塩化モノクロロ・ペンタアンミン・コバルト）のような coined words が目につくが，内容は容易に理解できる。

次のような語は文字通り怪物である：monoetnanolaminedinitro cyclohexylphenolate [mónou̇èθənɔlǽmi:ndainάitrousáiklouhéksilfí:nəleit]「ガの殺虫剤」のことである。

一番長い語は鉱夫の職業病（珪性肺塵症（けいせいはいじんしょう））を表わす次の語であるといわれている：pneumonoultramicroscopicsilicovolcanokoniosis [njú:mənouʌ́ltrəmaikrəkɔ́piksílikəvɔlkéinoukòunióusis]。

これらの合成語の中には，Angles（アングル族）が Anglo, France が Franco，となり，それぞれ Anglo-American，Francophile（フランス人びいき）のように形容詞を表わす -o をつけて並列的に結合されたものが多い。

(d) drunkometer（《米》運転者の酒気検出器），inclinometer（傾斜計），magnetometer（磁力計），ozonolysis（炭化水素に対するオゾン反応），speedometer（速度計），tachometer（タコメター，回転速度計）

2.2.2 「動詞 + 副詞」の結合

pick up が pickup（ピックアップ，含浸量など）になったように，多くは名詞になる。

(5) breakdown（分解，絶縁破壊，故障など），fallout（放射性降下物），lockout（工場閉鎖），shutdown（運転停止），takeoff（離陸，引取装置），takeup（吸上通風管），etc.

2.2.3 新語義になる

従来からあった語（廃語も含む）が新しい内容のものに使われることが多い。その多くは，古くなったためとか，象徴的な理由から reshape されている。capsule，hardware，missile，noise，play, rocket, snow, turnpike などが身近にあるが，play は「(ベルトなどの)遊び」を意味し，テレビのスクリーンの雑音は「吹雪」に似たところから snow というようになった。idle pulley (遊び車) の idle も同様である。

2.3 略語

科学・技術分野では，略語は多用されるが，図や表以外の文中では，いたずらに用いるのは戒めるべきであるし，また，自分勝手に作るのは絶対に避けねばならない。approximately を appr. としたり，appro. としたりしているものを見かけるが，これは，必ず approx. でなければならない。省略のピリオド (period) にも注意されたい。

あくまでも，英米の辞書で調べ，辞書に示されているとおりに用いたほうが良い。また, minute も minimum も min と短縮できるからといって The experiment requires 15 min mm. はよくない。15 minutes minimum としたほうが良い。

これらは，自分で判断できることである。foot, feet → ft (フィート), pound → lb(ポンド)，hour → hr (時間) のように単位を表わすものに多い。

複雑でないころは Celsius (摂氏）を C の一字，Fahrenheit (華氏）を F の一字の略語でよかったのが，複雑になるにしたがって direct current → DC (直流)，cellulose acetate → CA (酢酸セルロース) のような 2 字からなり，現在では，次のように 3 字のものも多くなっている。

(6) Ground Effect Machine → GEM (エアーカー)，separation → SET (切離し)，pulse amplitude modulation → PAM (パルス振幅変調)，liquid oxygen → LOX (液体酸素)，loss of signal → LOS (信号途絶)，etc.

3 字だと，アルファベットの文字で読めるが，4 字以上になると一字一字読むか，一語として読むかが分からないので，出来る限り 3 字で抑えていたい。

ごくありふれた分類法により，語形成の実体を大まかに掴んでみよう。

2.3.1 混成語

混成語 (blending or contamination) は，かばん語 (portmanteau word) ともいい，2 つ (以上) の語が形態的に重なり合って 1 語に圧縮されたものをいう。この種の混成は科学・技術分野にすこぶる多く，結合方式は一定していない。いろいろな組合せで成立していることが次の例でわかろう。

(7) automation [*automa*tic+oper*ation*] (オートメーション)，magnetron [*magne*t+elec*tron*] (マグネトロン)，motel [*mo*tor+h*otel*] (モーテル)，negatron [*nega*tive+elec*tron*] (陰電子)，positron [*posi*tive+elec*tron*] (陽電子)，telecast [*tele*vision+broad*cast*] (テレビ放送する)，transceiver [*trans*mitter+re*ceiver*] (トランシーバー)，transistor[*trans*fer+res*istor*] (トランジスター)，

このような第 1 要素の語の前部と次の語の後部を結合した型が圧倒的に多いようである。Cinerama [*cine*matograph+pano*rama*] のような商標名にも多い [Cinerama は panorama の analogy だから cinorama が正しいとされている]。

以下に，代表的な型を示す。

(8) comsat [*com*munications+*sat*ellite] (通信衛星)，deformeter [*defo*rmation+*meter*] (ひずみ計)，ecosystem [*eco*logy+*system*] (生態系)，Mobiloil [auto*mobile*+*oil*] (ガソリンの商標名)，radiogram [*radio*+*gram*ophone]《英》ラジオ兼用電蓄)，radome [*ra*dar+*dome*] (レドーム)，rawin [*ra*dor+*win*d] (レーウイン)，telecamera [*tele*vision+*camera*] (テレビジョン・カメラ)，teleprinter [*tele*type+*printer*] (印刷電信機，テレプリンター), trafficator [*traffic*+indic*ator*] (方向指示器)，varindor [*var*iable+*ind*uct*or*] (可変誘導器)，vidicon [*vid*eo and *icon*oscope] (ビジコン)。

2.3.2 頭字語

頭字語 (acronym) は頭文字語 (initial word) ともいう。適当に母音を挟んで 1 語として棒読みにし易い形にしたものが多い。数語からな

る語を1語に圧縮した極めて便利な語形成である。なお，混成に入れている文法書もある。

(9) COBOL [*co*mmon *b*usiness *o*riented *l*anguage](コボル), grace [*gr*aphic *a*rt *c*omposing *e*quipment] (グレース)，laser [*l*ight *a*mplification by *s*timulated *e*mission of *r*adiation (レーザー)，LM [*l*unar *m*odule] (月着陸船)，loran [*lo*ng *ra*nge *n*avigation] (ロラン)，maser [*m*icrowave *a*mplification by *s*timulated *e*mission of *r*adiation] (メーザー)，medlars [*med*ical *l*iterature *a*nalysis and *r*etrieval *s*ystem] (メドラーズ)，radar [*ra*dio *d*etecting *a*nd *r*anging] (レーダー)，rem [*r*oentgen *e*quivalent in *m*an] (レム)，rpm [*r*evolution *p*er *m*inute].(毎分…回転)，Tiros [*t*elevision *i*nfra *r*ed *o*bservation *s*atellite] (タイロス)，VHF または vhf [*v*ery *h*igh *f*requency] (超短波)。

棒読みできないものを頭文字語として頭字語と区別している文法書もある。

2.3.3 省略語

省略語 (shortening) は切株語 (stump word)，端折れ語 (clipped word) などとも言い，アクセントに関係なく多音節語の一部を省略して新語を作る。作られた新語の多くは単音節か2音節の傾向が強い。informal なものも多い。

2.3.3.1 頭部だけ残る

(10) auto[*auto*mobile] (自動車)，gas [*gas*oline] (《米》ガソリン)，magneto [*magneto*electric generator] (マグネット発電機)，mike [*mic*rophone] (マイクロホン), snap [*snap*shot picture] (スナップ)，stereo [*stereo*phonic sound reproduction] (ステレオ)，strobe [*strobo*scope] (ストロボ) [strob*o* の o が e に変わったケース]，telephoto [*telephoto*graph] (写真電送)

informal ではあるが movie [*mov*ing picture+-*ie*] (映画) や talkie [*talk* movi*e*] (トーキー) のように愛称的指小尾辞

(diminutive) のついたものもある。

2.3.3.2 中間部省略

(11) bike [*bi*cycle] (自転車，オートバイ)，E-boat [*e*nemy *boat*] (イー・ボート)，nylons [*nylon* stockings] (ナイロン製靴下) [cotton stockings, silk stockings を cottons, silks とはいわない]。

2.3.3.3 後部だけ残る

(12) bus [omni*bus*] (バス), car [motor*car*] (自動車), phone [tele*phone*] (電話)，plane [air*plane*] (飛行機)。

2.4 接頭辞と接尾辞

2.4.1 注意すべき接頭辞

(13) This liquid is inflammable.

(14) Unloose the belt from the shaft.

この 2 文はうっかりすると誤訳し，生命を失ったり，怪我もしかねない。(13) は「この液体は不燃焼です」と訳す人がかなり多い。inflammable の in- を否定の接頭辞と思っているから，この種の誤訳が生じるのである。この語は flame → flammable → inflammable となったのだから，接頭辞 in- は incombustible (不燃性の) と同じだと思ったのだろう。この in- はラテン語起源の強意の接頭辞である。したがって, (13) は「この液体は非常に可燃性である」のことだから，実験などで，うっかり火でもつけようものなら大変なことになる。

(14) は「シャフトからベルトを外すな」と訳す人が多い。loose は「解く，ゆるめる」を意味するので，訳す人も変に思うだろう。この un- も否定ではなく，強調である。従って，「シャフトからベルトを外せ」と訳さねばならない。

注意すべき語に，次のようなものがある .

(15) *il*luminate (照明する，明るくする)，*im*bibe (吸い込む)，*im*mixture (混合)，*im*pel (推進する)，*im*plant (植える，はめ込

む), *in*bond (《石工》[レンガなど] が小口からなる), *in*breathe (吸い込む), *in*breed (同系交配する), *in*dwell (…の) 内に住む), *in*flate (膨張する), *in*-flect (屈曲させる), *in*flow (流入), *in*flux (流れ込み), *in*fuse (注入する), *in*gredient (成分, 要素, 原料), *in*oculate (接種する), *in*pour (注ぎ込む), *in*stall (取り付ける), *ir*radiate (照射する), *ir*rigate (灌漑する), *un*mold (変形させる)

2.4.2 「べき」を表わす接頭辞

国際的に認められているものを示す。

(16)「べき」を表わす接頭辞一覧

接頭辞	符号	大きさ (power)	例
tera-	T	10^{12} (兆)	*tera*cycle (Tc) (1 兆サイクル)
giga-*	G	10^{9} (10 億)	*giga*hertz (GHz) (ギガヘルツ：10 億ヘルツ)
mega-	M	10^{6} (100 万)	*mega*cycle (Mc) (100 万サイクル)
kilo-	k	10^{3} (1000)	*kilo*liter (kl) (キロリットル)
hecto-	h	10^{2} (100)	*hecto*gram (ヘクトグラム)
deca-	da	10^{1} (10)	*deca*gon (10 角形)
deci-	d	10^{-1} (1/10)	*deci*bar（デシバール；1/10 バール）
centi-	c	10^{-2} (1/100)	*centi*gram (cg) (センチグラム)
milli-	m	10^{-3} (1/1000)	*milli*lux (mlx) (ミリルックス)
micro-	μ	10^{-6} (1/100 万)	*micro*farad (mf, mfd, μF, μf) (マイクロファラド)
nano-	n	10^{-9} (1/10 億)	*nano*second (ns, nsec) (ナノ秒)
pico-	p	10^{-12} (1/ 兆)	*pico*second (psec) (ピコ秒)
femto-	f	10^{-15} (1/1000 兆)	*femto*volt (fv) (1/1000 兆ボルト)
atto-	a	10^{-18} (1/10 垓)	

* 米国では bev- が用いられているが国際的には認められていない。Bevatron（ベバトロン；10 億電子ボルト））

2.4.3 数を表す接頭辞

(17) 数を表す接頭辞一覧

数	ラテン語	ギリシャ語	例
1/2	semi-	hemi-	*semi*circle (半円) / *semi*automatic (半自動の / *hemi*sphere (半球)
1	un(i)-	mon(o)-	*uni*cycle (一輪車) / *mono*rail（モノレール）
第 1（の）	prim-	proto-	*prim*itive（最初の）/ *proto*plasm (原形質)
1 1/2	sesqui-		*sequi*pedalian (1 フィート半の)
2	bi*- du-	di-	*bi*cycle（自転車）/ duplication (二重) / *di*oxide（二酸化物）
第 2（の）	second-	deuter-**	*second*-rate (二流の）/ *deuter*ium (重水素)
2 つに		dicho-***	*dicho*gamy（雌雄異熟)
3	tri-	tri-	*tri*cycle (三輪車) / *tri*atomic (3 原子の)
第 3（の）	terti-		*terti*ary (第 3 の)
4	quadr(i)-****	tetr(a)-	*quadr*angle (4 角形) / *tetr*agon (4 角形)
第 4（の）	quart-		*quart*ern (1/4)
5	quinqu(e)-	pent(a)-	*quinque*valent (五価の) / *penta*gon (5 角形)
第 5（の）	quint-		*quint*ant (五分儀)
6	sex(i)-	hex(a)-	*sexi*valent (六価の) / *hexa*gon (6 角形)
第 6（の）	sext-		*sext*ic (6 次の量)
7	septem-	hepta-	*septem*partite (葉が 7 深烈の) / *hepta*chromic (7 色の)
第 7（の）	septi-		*septi*valent (七価の)
8	oct(a)- oct(o)-	oct(a)- oct(o)-	*oct*angle (8 角形) (L) *octa*gon (8 角形) (G) / *octo*nary (8 進法の) (L) / *octo*pod (8 脚類) (G)
第 8（の）	octav-		*octavo* (8 折判) / *octa*lent (八価の)
9	nona-	ennea-	*non*ary (9 進法の) / *ennea*gon (9 角形) = *non*agon
10	deci-	dec(a)-	*deci*mal (10 進法の) /.*deca*pod (10 脚類)
11	undec-	hendeca-	*undec*agon (11 角形) / *hendec*ahedron (11 面体)
12	duodecim-	dodec(a)-	*duodecim*al (12 進法) / *dodeca*gon (12 角形)

* 母音の前では bin- となる。【例】binocular（双眼望遠鏡）
** 子音の前では deutero- となる。【例】deuteron（重陽子）
*** 母音の前では dich- となる。【例】dichasium（二枝集散花序）
**** 母音の前では quadr- となる。【例】quadroxide（四酸化物）

2.4.4 頻出する接頭辞と接尾辞

数がおびただしいため，多用されているものを示す。dis-，un- のような，どこにでも現われるものは割愛した。詳しくは実用辞書を参照されたい。

(18) 接頭辞一覧

接頭辞	意味	例
ab-	離す	*ab*apical (離頂の)
ad-	進む	*ad*vance (前進する)
acet(o)-	酢酸の	*acet*ate (酢酸塩) / *aceto*meter (酢酸含有量計器)
aer(o)-, aer(i)-	空気の	*aer*ial (空気の) / *aeri*form (空気のような) / *aero*dynamics (空気力学) 【米では air- が普通】*air*craft (航空機)
allo-	異性体，異種の	*allo*patric (異性 [所] の，*allo*plasm (異形質)
ambi-	両方の，周囲の	*ambi*dexterity (両手きき) / *ambi*t (周囲 , 構内)
ante-	前方の，先立つ	*ante*cedent (先行する ,《数学》前項)
anti-	反，抗，対	*anti*deuterium (反重水素) / *anti*bacterial(抗菌の) / *anti*pole (対極)
aqua-, aqui-	水	*aqua*lung (アクアラング) / *aqui*culture (水産養殖)
astr(o)-	星	*astr*ation (新星誕生) / *astro*photography (天体写真術)
audio-	聴，音	*audio*meter (聴力計，オーディオメーター)
aur(i)-	耳の	*aur*al (聴覚の) / *auri*cle (耳介，心耳)
auto-	自動の	*auto*mobile (自動車)
bene-	良い (well)	*bene*ficiate (《冶金》選鉱する)
bi-	二つ，重	*bi*chrome (二色の) / *bi*carbonate (重炭酸塩) /
bio-	生命，生物	*bio*chemistry (生化学)
cap-	入れる	*cap*sulate (カプセルに入れる)
centro-	中心	*centro*sphere (地球の中心，中心球)
cero-	ろう	*cer*esin (セレシン) / *cero*plastic (ろう細工の)
chlor(o)-	緑，塩素	*chloro*phyll(l) (葉緑素) / *chlor*hexidine (クロルヘキシジン)
circum-	まわりに	*circum*ference (円周)
co-	同等，共通，相互	*co*operativity 協同性) / *co*ordinate (同等の)

contra-	逆の	*contra*distinction (対比，対照)
cross-	十字の，交えて	*cross*light (交差光) / crossline (十字線)
cyclo-	循環の，輪の	*cyclo*meter (円弧測定器)
de-	分離，降下，破壊	*de*compound (分解する) / *de*grade (品質を下げる，減成する) *de*humidify (脱湿する) / *de*train (分流させる)
di-	2 の	*di*acid (二) 酸の)
dia-	横切って	*dia*phragm (横隔膜) / 母音の前では dio- になる。*dio*ptric (光学の)
digiti-	指	*digiti*form. (指状の) / *digiti*ze (計数化する)
epi-	外側，付帯	*epi*cycle (周転円) / *epi*boly (被包)
equi-	等しい	*equi*distance (等距離)
eu-	良い	*eu*globulia (真性グロブリン)
ex-	外へ，無，	*ex*it (出口) / *ex*cisionase (除去酵素)
extra-	外へ，越えて	*extra*nuclear (核外の) / *extra*ordinary (異常の)
fore-	前の	*fore*cabin (前部船室)
ge(o)-	地球の	*ge*anticline (地背斜) / *geo*chemistry (地球化学)
glyc(o)-	甘い	*glyc*erol (グリセロール) / *glyco*lysis (糖分解)
gon(o)-	生殖の	*gon*adotropic (性腺刺激性の) / *gono*genesis(生殖細胞形成)
gy(ro)-	輪，らせん，旋回	*gy*ration (旋回))，*gyro*scope (回転儀)
helic(o)-	らせん形の	*helic*ity (らせん状) / *helico*pter (ヘリコプター)
hydr(o)-	水	*hydr*ase (ヒドラーゼ) / *hydro*gen (水素)
hygr(o)-	湿った	*hygr*ic (湿った) / *hygro*meter (湿度計)
hyper-	超えて，過度の	*hyper*baric (高比重の)
hypn(o)-	睡眠	*hypn*agogic (睡眠の) / *hypno*therapy (睡眠療法)
hyp(o)-	下の，以下の	*hyp*algesia (痛覚鈍麻) / *hypo*alimentation (栄養不足)
iatro-	医学，医療	*iatro*physics (物療医学) / *iatro*genic（医原性の）
ideo-	概念，考え	*ideo*logy (観念学 , 空理空論)
im-，in-		im-，in- には「打消し」の他に「強調」を意味する語があるので注意。この接頭語は多いので辞書を参照してください。
inter-	中の，相互間の	*inter*action (相互作用)

intra-,-o-	中へ，以内の	*intra*ocular(眼球内の) / *intro*flexion (内側屈折)
is(o)-	等しい，同じ	*is*enthalpic (等ウンタルピーの) / *iso*perimeter (等周囲)
macr(o)-	大きい，巨大な	*macr*encephaly (大脳 [髄] 症) / *macro*molecule (巨大分子)
meg(a)-	非常に大きい，10_6	*meg*nitude（大きさ）/*mega*phone (メガホン)
met(a)-	変化	*met*eorology（気象）/ *meta*morphosis (変形)
micr(o)-	小さい	*micr*ify (微小化する) / *micro*analysis (微量分析)
multi-	多い，多数の	*multi*valent (多価の) / *multi*tude（多数）
ne(o)-	新しい	*ne*anthropic (新人類の) / *neo*plasm (新生物)
ocul(o)--	眼	*ocul*ist (眼科医) / *oculo*motor (動眼の) / outline (外形)
out-	外へ，前方へ，十分に …より優れて	*out*look（眺望 / *out*spread（十分に伸ばした） *out*put (出力) / *out*weigh (…より勝る)
over-	越えて，過大に	*over*heat (過熱する) / *over*mature（熟しすぎた）
pan-	全…，総…の	*pan*demic （全国 [世界] 的流行の（病気）
par(a)-	防護，補足	*par*orexia (食欲倒錯) / / *para*medic（医療補助者
path(o)-	病気，苦しみ	*path*ic (耐えている) / *patho*logy (病理学)
per-	過，非常に	*per*carbonic acid (過炭酸) / *per*fect (完全な)
peri-	回り，近い	*peri*morph (外囲鉱物) / *peri*apsis（近点）
phot(o)-	光，写真	*phot*ic (光の) / *photo*synthesis (光合成)
pneum(o)-	気体，呼吸	*pneum*atometer (呼吸圧計) / *pneumo*nia (肺炎)/
poly-	多い，複	*poly*acid (多重酸) / *poly*graph (複写機)
post-	後の，次の	*post*factor (後因子) / *post*form (二次形成する)
prae-, pre-	以て	*prae*cipitatio (雲降水) / *pre*diction (予報)
pro-	前の	*pro*cambium (前形成層)
prot(o)-	最初の , 主要の	*prot*anomaly (第一色弱) / *proto*type (原型)
pyr(o)-	火，熱	*pyr*etology (発熱学) / *pyro*chemical (高温度化学変化の)
psych(o)-	心理，精神	*psych*asthenia (精神衰弱) / *psycho*linguistics (心理言語学)
re-	再び，後方へ	*re*generate (再生する) / *re*cede (後退する)

se-	分離する	*se*dation (鎮静作用) / *se*lect (選ぶ)
self-	自ら，自然の	*self*-starter (自動スターター) / *self*-sown (自然に生えた)
steno-	細い，狭い	*steno*peic (細孔) / *steno*therm (狭温性生物)
stere(o)-	立体の，固体の	*stereo*chemistry (立体化学) / *stere*ognosis (立体認知)
sub-	副…，やや	*sub*center (副都心) / *sub*acute (やや鋭い)
subter-	下の，秘密の	*subter*ranean (地下の，秘密の)
super(o)-	上の，優れた	*super*natural (超自然の) / *supero*vulate (過剰排卵する)
tel(e)-, telo-	遠い，電信，テレビ	*tele*work (テレワーク) / *telo*dynamic (動力遠距離伝送の)
therm(o)-	熱，熱電気の	*therm*ionic (熱電子の) / *thermo*couple (熱電対)
trans-	越えて，別の状態へ	*trans*port (輸送する) / *trans*formation (変形)
ultra-*	極端に，限界…	*ultra*microbalance (超微量天秤) / *ultra*filtrate(限外濾過液)
un-		名詞，形容詞，副詞について「否定」，動詞について「逆」を意味する。辞書を参照。
under-	下の，少なく	*under*ground (地下) / *under*value (過小評価する)
up-		動詞，名詞，形容詞，副詞について「上へ」などの意味で多用される。辞書参照。

* ultra- の発音に注意。[ultrə-]/[ultrɑ-] も可

(19) 接尾辞一覧

接頭辞	意味	例
-ac	取りつかれた，患者	mani*ac* (…気違い)，cardi*ac* (心臓病患者)
-ad	…個の部分をもつ，期間，…の方向に	mon*ad* (一価元素) / chili*ad* (一千年の期間) / caud*ad* (尾の方に)
-age	動詞 → 名詞を作る 集合体を意味する 「率」を意味する	stor*age* (貯蔵) tonn*age* (総トン数，トン数) percent*age*
-ana	文献	Americ*ana* (アメリカ文献)

-ate	「なる」の動詞を作る	evapor*ate* (蒸発する)
	処理する	vaccin*ate* (種痘を施す)
	…の形にする	triangul*ate* (3 角形にする)
	…の特徴のある	colleg*eate* (大学の)
	…を持つ	proportion*ate* (比例した)
	…塩酸	acet*ate* (酢酸塩)
	…役，職（集合的に）	director*ate* (理事，理事会)
-chrome	色素	uro*chrome* (尿色素)
-craft	技能 /…術	handi*craft* (手工)
-emia	血液を有する状態 / 病気	leuk*emia* (白血病)
-ette	小さいもの	leather*ette* (合成皮革)
-fold	倍の，重の	ten*fold* (10 倍の) / two*fold* (二重の)
-gen	産出するもの	patho*gen* (病原体) / oxy*gen* (酸素)
-gnomy	判断術	physio*gnomy* (人相学)
-gnosis	認識，知識	dia*gnosis* (診断)
-gon	角（書く）を持つ	penta*gon* (5 角形)
-gram	書かれたもの	tele*gram* (電報)
-graph	書くもの，書かれたもの	tele*graph* (電信) / mono*graph* (専攻論文)
-graphy	書法，画法，記述	steno*grapy* (速記法) / photo*graphy* (写真術) / geo*graphy* (地理学)
-hedron	…面体	hexa*hedron* (6 面体)
-iatrics	治療	ped*iatrics* (小児科)
-iatry	医療	psych*iatry* (精神病治療法)
-ician	従事する人	electr*ician* (電気技術者)
-ics	学，術，論	mathemat*ics* (数学)
-ide	化合物名を作る	chlor*ide* (塩化物)
-in(e)	…のような，化学薬品名をつくる，抽象名詞をつくる	crystall*ine* (クリスタルのような) / brom*ine* (臭素) / medic*ine* (医学)
-ism	状態，学説，病的状態，主義	pauper*ism* (貧困) / atom*ism* (原子説) / alcohol*ism* (アルコール中毒) / American*ism* (アメリカ風)
-ist	人	chem*ist* (化学者)

-ite	住民，商品名，化石，類，爆薬	Tokyo*ite* (東京都民) / dynam*ite* (ダイナマイト) / ammon*ite* 塩 (アンモン貝) / sulf*ite* (亜硫酸塩) / ebon*ite* (エボナイト)
-itis	…炎	bronch*itis* (気管支炎)
-itol	多価アルコール	mann*itol* (マニトール)
-ium	化学元素の名詞をつくる	rad*ium* (ラジウム)
-logy	…学，…論	geo*logy* (地質学) / tauto*logy* (類語反復)
-meter	計数計	baro*meter* (気圧計)
-nomy	…の知識大系	astro*nomy* (天文学)
-oid	…のよう（物）	cellul*oid* (セルロイド)
-pathy	病気，療法，感情	osteo*pathy* (整骨療法)
-ped(e)	足	quadru*ped* (4 足獣) / centi*pede* (唇脚類の) 節足動物)
-phone	音を出す	mega*phone* (メガホン)
-scope	…を見る機械	micro*scope* (顕微鏡) / stetho*scope* (聴診器)
-soma	体（たい）	hydro*soma* (ヒドロポリプの群体) / chromo*some* (染色体)
-some	…に適する，（数詞について…からなる個）	hand*some* (均整の取れた，寛大な) / tire*some* (退屈な) / three*some* (三重の)
-ulose	ケト糖，…の著しい	lev*ulose* (左旋糖) / gran*ulose* (ざらざらの表面をした)
-ulous	…の傾向がある	trem*ulous* (動揺する)
-yl	【化】…根；…基	meth*yl* (メチル基)

科学・技術英語の分野のみならず，現代社会では，日々刻々，多くの新語が誕生しているので，いくら大きい辞書を用意したところで役立つはずがない。しかし，これらの造語法，つまり，接頭語や接尾語を知っていれば，内容を理解するうえで役立つ筈である。

3. 名詞

3.1 常套語（じょうとう）

文語表現が中心の論文などは，Anglo-Saxon の語源語よりも，syllable が多い Latin 派生の語を好んで用いる傾向が強い。なかには準専門用語のように絶えず決まって用いられるものもある。

主な名詞を拾ってみよう。左側の語の代わりに矢印の語が好まれる。

(1) change → **conversion**, **modification**, **replacement**, **variation**
end → **completion**
help → **assistance**
job → **function**
need → **requirement**
plan → **concept**
study → **examination**, **investigation**
use → **application**

しかし，何も好んで，このような堅苦しい語を用いなくても良いという意見もあるが，論文などは文語表現が中心だから矢印の語の使用が好ましい。

3.2 不必要な名詞

文に威厳を示そうとして，不要な名詞が用いられることが多い。これは日本語にも言えることで，「天候状態が悪かったので，仕事を施行するのを延期した」の「天候状態」がそうである。これを英語で Weather conditions were bad and we had to postpone the execution of work.| Bad weather conditions postponed the execution of work. と訳したときに conditions は不要である。Bad weather postponed the execution of work. が簡潔で良い。

この種の名詞には，常に，このような抽象名詞が多い。そして in a manner of, on the basis of や field of のような不要な phrase が多く見られる。これについては，「余剰的表現」(§17) 参照)

次にあげるような語は，不要なことが多いから使用に際しては注意すべきだろう。

(2) ability, activity, amount, area, basis, case, character, circumstances, concept, concern, condition, consideration, course, degree, effect, effort, extent, fashion, field, form, instance, level, manner, method, model, number, order, period, position, problem, purpose, quantity, range, reason, respect, result, situation, space, standpoint, state, time, total, type, view, etc.

3.3 名詞の動詞化

現代英語では，品詞の転用 (functional shift) は比較的自由である。科学・技術分野でも自由奔放に転用が行なわれている。「ハンマーを使って釘を打ち込め」は Drive the nail with a hammer. としないで，Hammer the nail in. で表現できる。このように，道具名，製品名，物質名詞などの多くが，動詞に転用され，その行動，仕事などを描写できるのである。その上，表現の簡潔性も促進するといえよう。

(3) 動詞に転用された名詞

Brush free any dust from the mechanism. (その機械からブラシでごみを払いなさい)

Bucket the water. (バケツでその水をくみなさい)

Cap the tube. (管にキャップをかぶせなさい)

Cement the floor. (床にセメントを塗りなさい)

Chisel stone into a figure 3. (石を 3 の形にのみで彫りなさい)

Clamp them. (それをかすがいで締めなさい)

Clutch the driven part. (駆動部のクラッチを入れよ)

Drill a hole. (ドリルで穴をあけなさい)

File it down. (それにやすりをかけなさい)

Grease the mechanism. (機械にグリスを塗りなさい)

Gauge the clearance. (クリアランスをゲージで測りなさい)

Hook up a curtain. (カーテンをフックでとめなさい)

Machine the part. (その部分を機械で仕上げなさい).

Mortar the bricks. (レンガをモルタルで接合しなさい)

Nail a lid on the box. (箱にふたをくぎで打ちつけなさい)

Oil a few drops into the hole. (穴に数滴のオイルを注入しなさい)

Paint the door white. (ドアを白ペンキで塗りなさい)

Plane the lumber. (板材にかんなをかけなさい)

Pump water into a tank. (ポンプで水をタンクに入れなさい)

Sand the road. (道路に砂をまきなさい)

Sandpaper the board properly. (板にしっかりと紙やすりをかけさい)

Saw this in half. (これをのこぎりで半分に切りなさい)

Screw a lock on the door. (ドアにねじで錠を付けなさい)

Solder two wires tight. (2 本の線をしっかりとはんだづけしなさい)

Trowel the wall. (壁をこてで塗りなさい)

Varnish over the surface. (表面にニスを塗りなさい)

The rain *waters* the earth. (雨は地をうるおす)

Wedge a rail on sleepers. (くさびを打ってレールを枕木に留めない)

Wire beads together. (じゅず玉を針金でつなげ)

Xerox the copy. (そのコピーをゼロックスでとりなさい)

3.4 名詞の形容詞用法

ice box, *iron* bar, *stone* bridge のように，名詞を修飾語として積み重ねて複合語にした形は，現代英語だけがもつ特徴ではなく，古代英語にもあったが，この「名詞 + 名詞」の構文が科学・技術文の大きな特徴となっている。これは文体を簡潔にするためだろうが，下手に使うと communication を阻む原因となるので，単語の意味や用法を熟知してから用いるべきである。

3.4.1 注意すべき用法

名詞を形容詞として，そのままの形で用いるか，あるいは，その名詞の形容詞形を使うかにより，内容を異にすることがあるから注意しなければならない。*silver* plate は a plate made of silver（銀製の板，シルバー・プレート）のことであり，*silvery* plate は a plate like silver（銀のような板［プレート］；銀色の板［プレート］）の意味である。同様に *ice* road は a road made of ice（氷でできた道路）となり，*icy* road は a road covered with ice（氷でおおわれた道路）のような内容になる。特に，材質を表わす名詞と形容詞形とではこの傾向が強い。

Fowler は *Modern English Usage* の中で，名詞の形容詞用法はあい昧さをかもし出すといっている。そして a large vehicle fleet は a large fleet of vehicles（戦車などの大隊）か a fleet of large vehicles（大戦車などの隊）かはっきりしないと述べている。前後関係で主観的配慮が必要なわけである。ちょうど teacher guidance が guidance by a teacher（先生からのガイダンス）か guidance for a teacher（先生向けガイダンス）か文字の上からでは判断できないのと同じである。

この現象は日本語にもある。a large fleet of vehicles を「大戦車隊」と訳して「大」は「戦車」にかかるといわれても，また,「隊」にかかるのだといわれてもしかたがない。「食事時間」などと，日常，無意識に使用するが, これも situation により「食事をしている時間」か「食事を開始する時間」になる。

Partridge も *Usage and Abusage* で「名詞の形容詞用法にはお手あげだ」と言っているが , Evans は *A Dictionary of Contemporary American Usage* で「初めは非難こそ多かったが，文体がきびきびしてコンパクトに表現できるので捨てがたく，世相をよく反映している」と述べている。そして，

He absconded with *the River Street fire house Christmas Eve party funds.*（彼はリバー・ストリートにある消防署でのクリスマス・イブのパーティー用資金を持ち逃げした）は極端だが，このような英文は文法の問題ではなく文体の問題であると説明している。

すでに述べたように，すべての名詞を形容詞として，そのままの形で用いることができると考えるのは危険である。distinction, strength，value などのように評価・判断などを包含する語からなる

前置詞句，例えば，a specialist of distinction（著名な専門家），a robot of great strength（非常に力の強いロボット），jewels of value（貴重な宝石類）などを，どうしても of 構文を避けて表現したい場合は a *distinguished* specialist，a very *strong* robot，*valuable* jewels のように形容詞形を用いねばならない。

3.4.2 表現の簡潔性

barber's shop が barber shop, a two day's holiday が a two-day holiday になったように apostrophe s の消失した形なら，あまり問題はないが，科学・技術文では，もう少し複雑な説明的概念や状況を示す語句を省略して名詞を積み重ねるケースが多い。この構文は一般に簡潔で，新鮮な印象を与え，引き締った表現となり，視覚に訴える力も強い。

(4) Even finer than this is the use of a *low-energy electron beam* as the sensitizing medium, instead or light. By projecting an *electron microscope image* onto the liquid-coated component, very fine patterns can be reproduced.

（これよりもさらに精密なのが，感光の媒体として，光でなく，低エネルーの電子ビームを使用するものである。液体を塗った製品の上に電子顕微鏡の像を投影することにより，まったく精密なパターンが再生できるのである）

(5) *A land injection station* feeds the figures to the satellite about once every 12 hours, where they are stored in its *memory system*.

（地上の打上げ局は，数字を 12 時間におよそ 1 回の割合で人工衛星に送り込む。そこで，その数字は人工衛星の記憶装置に記憶される）

3.4.3 ラベル化した「名詞 + 名詞」

metal can（金属かん），spring action（ばね作用），water hardness（水の硬度）などを，それぞれ a can made of metal，action by a spring， hardness of water と表現したのでは，まとまりがなくなり，そのものがもつ一つの概念を表わさなくなる。つまり，「名詞 + 名詞」の構文が，殆ど常に決まった形で，専門用語として用いられているのである。copper oxide（酸化銅）は，いつ，だれが用いても copper oxide の形であり，car wax（カーワックス）も，やはり car wax である。これらを勝手にパラフレーズして，前置詞や分詞などを用いて書き換えられると，締りのない文体となり，科学・技術文としての性格を失うケースが多い。一種のラベル化した固有名詞的な copper oxide，car wax の方が，すぐ理解できるばかりか，安心して使えるのである。

3.4.4 名詞間に存在する多様性

名詞間にはさまざまな関係が存在する。この構文の理解の一助となるよう，カツコ内に訳と説明的な語句を記すが，説明した語句はこの他にも考えられることをお断りしておく。

3.4.4.1 unit 的なもの

通常パラフレーズして用いられない。決まって用いられる専門用語のすべてが，この範ちゅうに入るといっても良いだろう。

bessemer process（ベッセマー製鋼法）Bessemer-developed process あるいは the process developed by Bessemer

bessemer steel（ベッセマー鋼）steel made by the Bessemer process

bleeder feed water heater（抽気給水加熱器）a heater for water extracted from bleeders to be supplied to a boiler

communications satellite（通信衛星）a satellite *for* (*the purpose of*) communications

heat loss（熱損失）loss of heat，しかし loss *caused by* heat（熱が原因での損失）とも考えられる。

loran receiver (ロ ラ ン 受 信 機) a receiver used with the system called "loran"

moon satellite (月観測衛星) a moon-*observing* satellite，あるいは a satellite *observing* the moon。後者を「月を観測している人工衛星」と考えると内容に相違が生じる。a satellite *of* the moon (月衛星) にも状況によりなる。

neon lamps (ネオンランプ) neon-*filled* lamps，あるいは lamps *filled with* neon

neuron switches (神経細胞スイッチ) switches *made of* neurons ではない。neurons used as switches のこと。neurons *changed into microscopic* switches などにも考えられる。

oil well (油井) an oil-*yielding* well，あるいは a well *yielding* oil. 後者は「油を出しつつある井」のことにもなる。

telephone booth (電話室，公衆電話ボックス) a telephone-*containing* booth，あるいは a booth *containing* a (public) telephone

water wheels (水車) water-*operated* wheels，あるいは wheels *operated by* water

radio detection finder (無線方向探知機) a radio-*using* finder *for* detection，あるいは a finder *for* detection *using* radio waves.

standard desk calculator (卓上型標準計算機) a desk *type of* standard calculator のことで a portable calculator に対して a standard calculator である。しかし，a standard desk type of calculator と考えられても仕方がない。「ハイフンの用法」(§19.7) 参照 .

vapor pressure temperature characteristics (蒸気圧温度特性) characteristics for the pressure exerted by the molecules of vapor by changes of temperature

3.4.4.2 臨時的なもの

名詞間にも様々な関係が介在するので，前後関係で内容を把握しなければならないことが多い。

ラベル的なものと異なり，この臨時的なスタイルは，用いる単語の意味や性質を十分に理解してかからないと，漢字ばかりを積み重ねたような文になり，正確な伝達を阻むものとなる。

初めは臨時的に用いられていても，いつの間にか unit となるものもある。

automation engineers (自動化専門の技術者，オートメーション・エンジニア) engineers for automation のこと。

computer age (コンピューター時代) an age of computers と解すれば「コンピューターの年齢」となり，an age *using* computers とすれば「電算機を使用する時代」となる。

computer builders (コンピューター製作者) builders *of* computers のことであるが builders *made by* computers (「コンピューターを使って作るもの」「コンピューター を使って作られたもの」) にもなる。

satellite observations (人工衛星による観測) observations *by or with* a satellite，或いは observations *of* a satellite (［人工］衛星を観測) のことにもなる。

temperature rise (温度の上昇) a rise in temperature のこと。

3.4.5 具体的な分類例

様々に分類できるが，次の 4 項目に容易に分類できる .

3.4.5.1 部品名

多くの機能を狭いスペースに圧縮し，まとめて表現している。

(6) *Dash Pot Lever Actuator Bell Crank Link* is disconnected.

(ダッシュ・ポット・レバー・アクチュエーター・ベル・ク

ランク・リンクがはずれている)

部品名は無理に和訳すると，あい昧になるので，カタカナの決まった表記法がなければ，発音どおりにカナ書きにするか，あるいは英語のままにしておく方が良い。次例のような小文字の場合は，うっかり和訳しがちだから注意。

(7) This *roller assembly* being fastened to a bracket which contacts the *space bar trip arm cushion spring lever* actuates....

(このローラー・アッセンブリーは，スペース・バー・トリップ・アーム・クッション・スプリング・レバーに接触するブラケットに取り付けられていて…を駆動する)

(8) There are no current sports cars using the *overhead inlet/side exhaust cylinder head*,....

(最近のスポーツカーは，オーバーヘッド・インレットでサイド・イグゾーストのシリンダー・ヘッドを使っていない)

3.4.5.2 社名+名詞

社名が製品名などの前について manufactured at/in, assembled at/in, developed at/in, devised at/in などが省略された形。

(9) The idea of the high-altitude, or twenty-four-hour synchronous satellite got its chance with a *Hughes Aircraft Company satellite* built for the government and....

(高度衛星，すなわち24時間の同期衛星という考えは，ヒューズ航空機会社がアメリカ政府のために人工衛星を製作したときに実現の機会を得た)

イタリックの部分は a satellite *manufactured/developed* at Hughes Aircraft Company のこと。

(10) a *Borg-Warner automatic transmission*

(ボルグ・ワーナー社の自動変速装置)

これは an automatic transmission developed /manufactured at Borg-Warner のこと。

(11) a *Pratt & Whitney profile-grinding machine*

(プラット・ホイットニー社のならい研削盤)

これは a profile-grinding machine *manufactured/developed* at Pratt & Whitney のこと。

以上のように内容から判断を必要とする場合が多い。

次のように社名が製品や部品以外の名詞に先立つこともある：in a *G.E. case*(ジェネラル・エレクトリック社の場合には), the *Handyman experience*(ハンディマン社の経験)。極めて初歩的なことだが a Chicago computer maintenance company と Chicago Computer Maintenance Company は内容が違うので大文字・小文字も軽率にしてはならない。前者は a computer maintenance company in Chicago(シカゴにあるコンピューターの保守会社), 後者は「シカゴ・コンピューター保守会社」のことで，社名である。

3.4.5.3 時間/年号など + 名詞

「2020年型クライスラー」を，日本人に英語で表現させると a Chrysler of 2020 model とか a 2020 model of Chrysler とする人が多く，a 2020 Chrysler とする人は少ない。こんなに簡単で，気の利いた言い方を知らない人が実に多いのである。

(12) Transistors speeded this time and the *microsecond computer* became a reality.

(トランジスターの登場で，この時間が早められ，マイクロ秒で作動するコンピューターが実現した)

(13) with "*nanosecond*" or *billionth-of-a-second components* already in operation

(「ナノ秒」，すなわち10億分の1秒で動く機械がすでに作動しているので)

このような時間の形容詞用法も多いが，年号の形容詞化も多い。

(14) A *1907 advertisement* for the name 'Jack Rabbit' gives us a very early definition of the sports car....

(「ジャック・ラビット」という車の 1907 年の広告で，ごく初期のスポーツカーの 定義がわかる)

イタリック体の部分は an advertisement in 1907 のこと。

(15) a *1964 amendment* to the Federal Airport Act
(連邦空港条例にたいする 1964 年の修正)

(16) in the *June 1964* issue of Motor Trend
(『モーター・トレンド』誌の 1964 年 6 月号に)

次のような金額の形容詞化も多い。

(17) The Capri is rated at 600 watts which means that one *$28 control* can regulate all the lights in a room; fluorescent and incandescent.
(カプリの定格は 600 ワットであり，28 ドルの制御装置 1 台で室内のすべての明りを調節できる。蛍光灯でも白熱灯でも良い)

数字を修飾語として用いるのは極めて一般的だが，実際に英文を書くときに，応用できないことが多い。例えば,「空気の約 1/5 は酸素である」に対して About one-fifth of air is oxygen. は，すぐ浮かぶが Air is about one-fifth oxygen. はどうだろうか。この場合の one-fifth は partly などと同じ機能を果たしているといえよう。

3.4.5.4 地名 + 名詞

地名は前置詞を伴って，修飾する名詞の後にくるのが常態のようだが，次例のような形容詞用法も多い。新聞・雑誌の語法 (Journalese) の影響であろう。

(18) General Electric's new *Louisville appliance plant*
(ジェネラル・エレクトリック社のルイスビルにできた新しい電気器具工場)

これは new appliance plant in / at Louisville のこと。先に述べたように New Appliance Plant と大文字になると内容が異なる。

(19) the California urban region (カリフォルニア州の都市地域)

これは the urban region in California のこと。

以上のほかに組織名や制度名などの形容詞用法，職名や氏名の形容詞用法なども多いが，Journalese 的色彩が濃いのでここでは省略する。

3.4.6 訳出上の問題点

3.4.6.1 英文和訳の場合

先に，a Hughes Aircraft Company satellite は a satellite *manufactured/developed/*designed, etc. at Hughes Aircraft company のことであると述べた。そこで，この名詞を重ねた英語を「ヒューズ航空機会社の人工衛星」と和訳したのでは，この会社の内容を知らない人には意味がつかめない。moon satellite も「月衛星」と和訳すると「月の衛星」となり，「月観測衛星」ではなくなる。screw shaft (スクリュー軸)，transmission gear (伝動装置) などのようにラベル化した，一つのまとまったもの以外は，名詞間に内在する内容を努めて表現するよう訳出したほうが良い。(「臨時的なもの」(§3.4.4.2) 参照)

(20) The *copper wire resistance* is very small.

は「(その) 銅線抵抗は非常に小さい」でも理解はできるが，「(その) 銅線の (もつ) 抵抗は非常に小さい」とすると，ずっと分かりやすくなる。

(21) The *Apollo 11 rocks* have been clearly found to be igneous.

を「アポロ 11 号の岩石は火成岩であることがはっきりしていた」では ,「アポロ 11 号が岩石」になったり，「アポロ 11 号に付着した岩石」などにもなりかねない。「アポロ 11 号の持ち帰った / 集めた岩石は…」とすると分かりやすくなろう。

3.4.6.2 和文英訳の場合

日本語どうりに翻訳すると，長文になり，無駄な英語が入り，締まりのない英文になる。場合によっては理解できない英文になることがある。先ず，不要語の削除を心がけよう。
　次の様な日本文を翻訳してみよう。

「YS 機械は，報告書を印刷する機能が遂行できる能力を備えた装置である。」

The YS equipment is a device which provides the capability of performing the report printing function. (16 words)

⇩

先ず，equipment is a device which が削除できるので，次文になる。

The YS provides the capability of performing the report printing function. (11 words)

⇩

次に，function が削除できるので次文になる。

The YS provides the capability of performing the report printing. (10 words)

⇩

次に，performing を削除し，printing と report の位置を変えて次文にする。

The YS provides the capability of printing reports. (8 words)

⇩

次に，provides を削除し，the capability of を is capable of にし，次文にする。

The YS is capable of printing reports. (7words)

⇩

次に，is capable of を can に変えて次文にする。

The YS can print reports. (5 words)

⇩

助動詞 can は不要であり，最終的には次文のように簡潔になる。

The YS prints reports. (4 words)

つまり，この日本文の keyword は YS と reports であり，それを prints で 結べば簡潔な英文になるのである。和文英訳に際しては，keyword を探すコツを習得する必要がある。

次に，英文で表現するとき，冠詞，名詞の単数・複数 (これは和文からつかめないことが多い)，前置詞に困ることが多い。そのような時に，うまく逃げる方法がある。次の例題から検討する。

(22) a.「その回路における最大パルスの繰り返し率は，著しく減少した。」

b. The repetition rate (for, to?) (the?) maximum pulse(s?) in the circuit has been remarkably decreased.

c. The *maximum-pulse repetition rate* in the circuit has been remarkably decreased.

(22) b の訳文のカッコ内の語に自信がなければ，(22) c のように積み重ねれば解決できる。

(23) a.「万一電気が切れると，コイルの磁性はすぐなくなる。」

b. If (the) electricity should be off [or Should electricity be off], the magnetism (of, in?) the coil(s?) would be immediately lost.

c. If (the) electricity should be off, the *coil magnetism* would be immediately lost.

(23) b の英文も名詞を形容詞化することにより (23) c のように解決できる。

しかし，be off は口語だから，格式語の disconnect にすると，

d. If (the) electricity should be disconnected, the coil magnetism would be immediately lost.

になる。

しかし，プロの翻訳者はこれで満足してはならない。If 構文は口語調だから，格式のある文，つまり論文調にするには，If 構文を句 (phrase) にする。それには，述部の動詞を名詞に変えて，Disconnection of the electricity にする。述部は，magnetism は lost

しないので誤りである。従って今度は，動詞になる名詞があれば，本来の姿の動詞にする。magnetism の動詞は magnetize だから，lost の代わりに demagnetize を述部動詞にすると，次の様に明確な論文調の英文になる。

e. The disconnection of the electricity would demagnetize the coil immediately.

この様なプロセスを習得して，英語が native の方々にも満足してもらえる英文に翻訳して欲しい。このプロセスは拙著の参考書から習得して欲しい。

(24) a.「その電流はコイルとコンデンサーで分離せよ。」

b. Separate the current by *a coil and condenser combination*.

c. Separate the current by a combination of two coils and seven condensers.

d. Separate the current by a two-coil and seven-condenser combination.

この和文では，コイルとコンデンサーの数が分からない。それを確かめないで (24) b のようにすると，書いた人は安心するが，読む人は困る。仕様書類などの場合は，これでは製品はできない。英文にする際に数を確認して，もし，「コイル 2 つとコンデンサー 7 つ」であれば (24) c のように正確に表現すべきである。(24) d は，カタログ調の簡潔な英文である。

しかし，すでに述べたように，すべての名詞を機械的に重ねるべきでない。a corner table は「コーナー用テーブル」で一つのまとまった概念を表わすものだからこの型が好ましいが a corner pin となると a pin used for the corner (コーナー用のピン) か a pin stuck at the corner (コーナーに刺してあるピン) かはっきりしない。前後関係から判断しなければならない。許容範囲はここまでで，a corner fly は無理である。「隅ハエ」など存在し得ないからである。「隅に止まっているハエ」なら a fly *at* the corner にしなければならない。

これについては，前置詞の項(§10)を参照して欲しい。

3.5 名詞構文の多用

(25) *Discussions* of the materials and methods in this experiment appear in Preface.

(この実験に使用した材料と方法は序文で述べる)

(26) *Our attempt* to weld the test pieces has made in the laboratory.

(その試験片を溶接しようと実験室で行った)

この2例が示すように，(25)は The materials and methods in this experiment *are discussed* in Preface. を，(26)は We attempted to weld the test pieces in the laboratory. を動詞形のある名詞を主語にして，堅苦しく表現したものである。appear とか made は不要語である。両文ともイタリック体の動詞がその名詞形で表現されていることに注意。この，とかく頭でっかちで，不要語を使った名詞構文は(取扱)説明書では少ないが，論文，レポート，仕様書類では多い。使用すべきでない。

(27) He can operate the machine very well. (彼は機械の操作が上手だ)

を He is a good *machine operator*. の様な名詞構文にしたり，次の

(28) Usually I don't use oil for the adjustment. (通常，その調整にはオイルを使いません)

を Usually I am not an *oil user* for the adjustment. と表現するような英語的な名詞構文 は曖昧になるので使用には注意をした方が良い。

3.5.1 「by+ 動名詞」の型

名詞構文は，一般に文語体に多用され，文を引き締めることが多い。しかし，次のような文では，いたずらに文を堅苦しくしたにすぎない。

(29) Odors are eliminated *by the application of* the liquid.

(臭気はその液体を使うことにより消える)

by the application of は by applying が簡潔な表現になるし，口頭などの場合では by だけで良い。

「by ＋名詞」の文型が，科学・技術文には多用されているが，「by ＋動名詞」のほうが好ましい。

(30) The wing becomes useless until smooth flow has been restored by a *reduction* of the angle considerably. (角度をかなり下げて，滑らかな流れに複元するまで，翼は無用となる)

by a reduction of を by reducing にすると簡潔な文になる。

(31) The vehicle is supported by the *reaction* of its cushion on the surface beneath. (その乗物は下の表面に働くクッションの反作用で支持されている)

reaction は専門用語だから，あえて動詞にしなくても良いが，react も専門用語だから by reacting にすると簡潔になる。

しかし，次の様な場合は名詞が好ましい。

(32) This reduces the angle of *inclination* of the main shaft. (こうすると主軸の傾斜角が少なくなる)

the angle of inclination は「傾斜角」という専門用語だから the angle *for inclining/to incline* (the main shaft)のように表現しない方が良い。この名詞構文も色々なケースがある。

3.5.2 従属節を句に書き換える

When we started this experiment とか When this experiment was started (この実験を始めた時)を At the beginning of this experiment とか At the start of this experiment で表現すれば，we を主語に出したくないときや受動態を嫌うときには便利であると同時に文も引締まる。

(33) There is no hope that the building will be reconstructed. (その建物は再建される望みがない)

(34) They could not understand why he applied the machine. (なぜ彼がその機械を使用したか，彼らには分からなかった)

(35) If the devices are manually tested, there will be a need of physical

strength.（手でその装置を試験するなら，腕力がいる）

(33) は There is no hope of *reconstructing* the building. (34) は They could not understand *his applying* the machine. (35) は The *manual testing of* the devices *requires a necessity* of physical strength. と短縮でき，簡潔になる。

(36) If any one satellite should fail, it would not harm the system as much as in the case of the synchronous methods.（人工衛星が 1 つ故障しても，同期衛星の場合ほどその系統全体を駄目にしないだろう）

If 構文は，口語調であり，文の締りを無くすので，fail を名詞にして主語にすると *Failure of any one satellite* would not harm the system as much as in the case of the synchronous methods. のような文語調の文になり，論文，レポート，契約書などで好まれる。

(37) When an air cushion is added, the weight actually borne by the wheels can be varied between the total weight and almost zero.（エア・クッションを 1 つ追加すれば，車輪が実際に負担する荷重を車輪の全荷重からほとんどゼロにまで変えられうる）

When の従属節を句にして，単文にすると，

(37) は *Adding* an air cushion enables the weight actually borne by the wheels to be varied between the total weight and almost zero.

と短文で，文語調になり，文が引締まるので，論文，レポート，契約書などで好まれる。

次のように，従属節が前置詞構文に短縮され，従属節中の動詞が名詞に変わるケースも多い。

(38) Since this system was installed, computers for other plate mills have gone into service.

（このシステムが設置されて以来，ほかの圧延機にコンピューターが用いられてきいる）

Since で始まる節を句にして，Since *the installation of* this system, computers for other plate mills have gone into service. 更　に gone into service. も applied にして

Since the *installation of* this system, computers for other plate mills have been applied. にすると更に簡潔になり，論文，レポート，契約書などで好まれる。

3.5.3 節を句に換える

節 (sentence) を句 (phrase) に書き換えて格式ばった表現にする。論文，レポート，仕様書などに適する。

(39) I am confident that *he will* succeed.(彼の成功を私は確信する)

→ I am confident *of his* success のような名詞構文に短縮すると，格式ばった表現になり，すっきりする。

(40) *The reason why the control is needed* will be explained later.
(その制御が何故必要かは後で述べよう)

日本文を直訳したようだが，The *necessity* of the control will be explained later. と表現を換えると，文はすっきりする。

(41) I am convinced *that the diffusion of gases is resisted*. (ガスの発散が食い止められることを私は確信する)

→ I am convinced *of* diffusion of gases *being resisted*

or

→ I am convinced *of the resistance of* the diffusion of gases.

or

→ I am convinced *of resisting* the gas diffusion

と書き換えることもでき, 文もすっきりする。最後の文が好ましい。

(42) Our president insists *that I should attend* the tenth international conference. (社長は第 10 回国際会議に私が出席すべきだと主張している)

→ Our president insists *on my attendance at* the tenth international conference.

or

→ Our president insists *on my attending* the tenth international conference.

と書き換えるとすっきりする。最後の文が好ましい。

3.5.4 名詞を to 不定詞に換える

動詞形のある名詞を本来の形の動詞に変えて,無駄をなくし,すっきりさせる。

(43) The essentials of welding are the *provision* of a sufficiently intense source of heat and its *concentration* in the right place.(溶接の要点は,十分に強力な熱源の供給と,正しい場所への熱源の集中である)

この文はスタイルの統一上の問題もあるが …are *to provide* a sufficiently intense source and *to concentrate* it in the right place. を堅くしたものであり，to 不定詞に書換えた文が好まれる。

(43) The purpose of the system of four IMP satellites is the *investigation* of space around the earth. (4 つの惑星間観測衛星系の目的は，地球を取り巻く宇宙空間を調査することである)

この文の is the *investigation* of space は to investigate space を堅く表現したもの。

次のように名詞に形容詞が前置した例もある。

(44) An MAC system is already *in experimental use* at Cambridge.
(MAC 方式は，すでにケンブリッジで実験的に使われている)

これを An MAC system is already *used* experimentally at Cambridge と書き換えると，堅苦しさがなくなるが，語数は節約できる。

(45) The system has *a tendency to* suffer from air entrainment.
(その方式は空気の取り込みを起こす傾向がある)

この has a tendency to は tends to で良い。無理に名詞を用いた悪例といえよう。

(46) That we can maintain or reduce at will means that the dynamic behavior of the craft [ACV] can be modified to improve its riding characteristics.
(思うままに揚力を推持するか，減らすことにより，ACV[エア・カー] の力学的な動きを修正して，乗り心地の特性を改良することができる)

この文を The *ability to* maintain or reduce lift at will .... の様に，主部

を書き換えた構文にすると，格式文になり，論文，レポート，仕様書などで好まれる。

(47) There arose a strong demand *that we should install* a new machine.

(新しい機械を取り付けるべきだという強い要望が起こった)

この文は，There arose a strong demand for us to install a new machine. と単文に書き換えると文が締る。

次例では the hydrofoil boat が operate の主語になっている。

(48) The surface-piercing foil can never be a full answer *that the hydrofoil boat operates* in the open sea.

(この水面貫通型の翼は，外洋を走る水中翼船には完全な解決となりえない)

この文も that 節を句に書き換えて，The surface-piercing foil can never be a full *answer for the hydrofoil boat to operate* in the open sea. と表現すると，文に締りがでて，論文，レポート，仕様書などの格式ばった文書では好まれる。

(49) *Whether the ACV can* run with comfort over waves or rough ground depends very much on the cushion height.

(ACV が波か凸凹の地上を快適に走行できるか否かは，クッションの高さによるところが 非常に大きい)

この文は Whether 節が率いる主部を，次のように

The ability of the ACV to run with comfort over waves or rough ground depends very much on the cushion height. と *The ability of the ACV to* 句に書き換えると，語の節約ができると同時に文が引締まり，論文，レポート，仕様書など，格式文に好まれる。

3.5.5 「前置詞＋動名詞」対「to 不定詞」

論文のような堅苦しい文では，次の様な「前置詞＋動名詞」の構文が多用されている。

(50) The system seems a complex and expensive way *of solving* problems.

(そのシステムは，いろいろな問題を解くのに複雑で高価な方

法のようだ）

しかし，カタログや（取扱）説明書のように広く一般の人を対象にした文では，of solving よりも to solve のような to 不定詞の構文にかわる傾向が強い。

(51) This starts the machinery *for opening* the door.

（これがドアを開く機械装置を始動させる）

(53) A simplified version of a device *for generating* and *controlling* a beam of electrons is shown on page 100.

（電子ビームを発生させ，制御する簡素化した装置は 100 ページに示されている）

(52) Producing a steel plate is not a simple task *of putting* a slab of metal through a set of rollers until reduced to the right thickness.

（鋼板を作ることは，厚い鋼板を，正しい厚さになるまで，一連のローラー間を通すという簡単な仕事ではない）

(53) For successful automation the blast furnace manager must be given some way *of presetting* these controls.

（うまくオートメーション化するためには，これらの制御法をあらかじめセットする何らかの方法を溶鉱炉の管理者に知らせなければならない）

以上の「前置詞＋動名詞」構文は to 不定詞に書き換え可能である。しかし，次のような場合は，これらの例文とは異なる。

(54) There is the possibility *of joining* the legs to a single large foil.

（[2 本の] 脚を 1 本の大きい翼に結合することは可能である）

意味がない There 構文で始めない方が良い。

学校で習った，There is a book on the table. は A book is on the table. が，キーワードが主語になり，文に無駄がなく，引締まる。(54) は The legs can be joined to a single large foil. が好ましい。

次のように，前置詞の次に動名詞ではなく，名詞の場合も当然ありうる。

(55) Welding conditions for electron-beam work can be very easily established, which makes this one of the best welding processes *for adaptation* to mass production.

(電子ビーム作業に対する溶接条件は，非常に容易に決めることができる。そのため，このことが大量生産に用いるのに最上の溶接法の一つになる)

カタログや(取扱)説明書類にも，「前置詞＋動名詞」の構文がないわけではないが，to 不定詞が圧倒的に多い。

(56) There are sizes and models *to provide* families with many different food storage needs.

(家族によって異なるたくさんの色々な食糧貯蔵の要望に合った大きさとモデルがあります)

専門家でなく色々な人を対象にしているので There 構文で始めて，for providing でなく to provide にしている口語調の英文である。

(57) Use a dry cloth *to dust* off the exterior part regularly.

(外部は乾いた布を使って，ほこりを定期的に払いなさい)

(58) There are many new washing products … many new ways *to wash*, all described in this booklet.

(たくさんの新しい洗濯用製品があります。洗い方もたくさんの新しい方法があります。この冊子には，それらがすべて説明されています)

(59) Radio engineers have found a way *to do* the same thing with radio broadcasting and reception.

(無線技師はラジオの放送と受信に同じことをする方法を発見している)

以上は，すべて，次のような「前置詞＋動名詞」でも表現できる。to provide は for providing，to dust は for dusting，to wash は of washing，to do は of doing。しかし，there 構文，use の命令文，way や same thing を用した文は口語調だから動名詞構文にしない方が良い。

以上の例は to 不定詞の直前の語は名詞だったが，次のように名詞だけではない。

(60) The scales are used *to center* headings.

（スケールはヘッデングを中央に出すのに使われる）

to center は in/for centering とすると文語調になる。

3.5.6 「動詞 + 目的語 + 前置詞」→「名詞 +of+ 名詞 + 前置詞」

これも，論文のような格式文に多い。

equip a bicycle with a light（自転車にライトを装備する）を equipment of a bicycle with a light の形をとる傾向が強い。

動詞が名詞に変わると名詞の次に of を付けて目的語と連結させ，動詞に付く前置詞は，そのまま残る型である。

(61) There are also pumps and valves which control the flow of *the fuel and oxidizer into* the rocket-engine combustion chamber.

（また，ポンプとバルブもあって，燃料と酸化剤がロケット・エンジンの燃焼室へ流れ込むのを制御している）

the flow of the fuel and oxidizer into は to flow the fuel and oxidizer into. が flow を名詞にしたため flow of となった形。

(62) *The transformation of heat energy to* mechanical energy by the engine is based on a fundamental law of physics.

（エンジンを使って，熱エネルギーを機械エネルギーに変えることは，物理学の基本法則に基づいている）

The transformation of heat energy to.... は To transform heat energy to の変型。しかし，原文が文語調。

(63) *Substitution of transistors for* vacuum tubes has greatly reduced the radio and other electronic devices.

（トランジスターを真空管の代わりに使うことにより，ラジオや他の電子装置が非常に小型化した）

Substitution of transistors for は To substitute transistors for の変型。しかし，原文が文語調。

(64) It is impossible to generate a controlled electron beam in the atmosphere, i.e. under any conditions where surrounding particles would interfere with *the generation of electrons from* the cathode.

(大気中，つまり，周りの粒子が陰極から電子が発生するのを妨げるような条件下では，制 御された電子ビームを発生させることができない)

the generation of electrons from は to generate electrons from の変型。しかし，原文が文語調。

3.5.7 be done, be made, etc. に注意

多くの意味を持つ語，つまり，多義語は曖昧だから，論文などの格式ばった文章では避けた方が良い。

この種の動詞には，be 動詞，do，get，give，have 動詞，make，put などの他に accomplish，effect，exist，hold，obtain，perform，provide，take，use，などが考えられる。そして，通例，受動態で用いられる。このような意味のない語はできるかぎり避けて，(65)，(66), (67) の様にイタリック体の名詞の動詞形を述語として用いると，文が簡潔になる。

詳しくは拙著『ICT 時代の英語コミュニケーション：基本ルール』参照。

(65) *Exhausting* the chamber is usually *done* in a series of steps or stages with mechanical pumps.

(室を排気するのには，通常，機械式ポンプを使って，一連の段階で行なわれる)

動名詞を主語にした例だが，格式ばった論文などでは The exhaustion of the chamber is usually done は The chamber is usually exhausted in a series of .... が良いし，普通はこのほうが好ましい。ここでは exhausting the chamber を強調したため文頭に出したのだろう。

(66) *Attempts* to calculate theoretically the strength of structures were *made* as long ago as the fourteenth and sixteenth centuries by Leonardo da

Vinci and Galileo.

（構造物の強度を理論的に計算しようとのこころみは，レオナルド・ダ・ビンチとガリレオにより 14 世紀と 16 世紀の昔に行なわれた）

この文も名詞 attempts を主語にしたために made が使われたもので The theoretical calculation of the strength of structures was attempted as long ago as .... と表現したほうが簡潔で良い。

(67) *A description of* this type of history is *offered* in the general case by the use of time-sensitive statistical measures.

（この種の歴史の変遷は，一般には，時代に敏感な統計上の測定方法を使って述べられる）

この文は description を用いたため，代動詞的な offered を使ったケースだが，This type of history is described in the general case by.... としたほう簡潔で良い。

3.5.8 動詞で表現

名詞構文が技術英語らしい表現だからといって，動詞 1 語で表わせるものを，次のように，いたずらにその動詞を名詞に変えて語数を多くして表現することは避けた方が良い。

矢印の左側の句は，普通は右側の 1 語で良い。

(68) achieve an improvement in → **improve**
engage in a discussion → **discuss**
give consideration to → **consider**
make an adjustment → **adjust**
put on a demonstration of → **demonstrate**

しかし，achieve a *thorough* improvement in とか make a *minor* slight とか make *appropriate* adjustment(s) のように，これらの名詞に修飾語が付いたときには, 極めて便利な構文になることを忘れてはならない。次例参照。

(69) Boeing Company has *conducted extensive research* on such craft.

(ボーイング社は，そのような乗物にかなりの研究をしてきている)

has extensively researched such craft でも良い。

(70) Using equipment of this kind, however, an electron beam can be focused on a piece of metal to produce a spot less than 0.01 in. in diameter, which *gives a heat concentration* 500 times as intense as that which is possible with conventional electric arc welding.

(しかしながら，この種の機械を用いると，電子ビームは金属片上で焦点を合わせることができ，直径 0.01 インチ以下の点になる。そして，これは，従来のアーク溶接に可能だった強度の 500 倍の熱を集中させるのである)

..., which 以下の下線部分を ..., which concentrates heat 500 times as.... としても良い。

3.6 名詞の可算語と不可算語

名詞には，物質名詞，普通名詞，固有名詞に大別される。ここでは，どうして可算語，不可算語になるかを説明する。冠詞についての詳しくは「§11.1 冠詞」を参照。

参考までに, 数は 1 以外は全て複数である。zero inches / 0.1 inch / 0.2 inches

3.6.1 可算・不可算に対する考え方

本論に入る前に，名詞を中心とした語句の基本的な構成法を簡単に説明する。

- 可算語：
  - a(n) / the } 副詞・形容詞 + 可算名詞 (単数形)
  - (the) + 副詞 + 形容詞 + 可算名詞 (複数形)
- 不可算語： (the)+ 副詞 + 形容詞 + 不可算名詞

この考え方はご存じだと思う。そこで room を考えて見よう。

room { room / a room / the room / rooms

の形がある。あらゆる名詞に可算性と不可算性があり，状況によって，可算語として表われたり，不可算語として表われたりするが，名詞が数えられる (countable) か，数えられない (uncountable) か，つまり，「1 つ (one)」の意味で不定冠詞が付くか付かないかにより，内容が変わるので注意を要する (「不定冠詞」(§11.) 参照)。

a delicate *finish* を考えてみよう。「精巧な仕上げ」というかと思うと This work lacks *finish*.(この作業には仕上げが足りない) のように無冠詞となる。「精巧な仕上げ」にも色々あり，「明確でない，その中の仕上げの一つ」と a が some の弱い意味と考えれば a delicate finish もうなずけよう。state も「物理的な状態」は 1 つしかないので不定冠詞をつける必要がなく physical state だが，「純粋な状態」や「ひどい状態」となると，いろいろ程度の差も出るので *a* pure state，*a* bad state と不定冠詞が付く。

しかし，程度を表わす形容詞が名詞に付いても be in bad/good repair (手入れが良い / 悪い)，be in/out of repair (よく修理された状態にある / ない) の repair は無冠詞である。しかし，「修理すること」の意味では *under repair(s)* (修理中)，a watch broken beyond *repair(s)* (修理できないほど壊れた時計) のように複数形をとることもある。したがって，複数形の名詞は単数形のときは定冠詞や指示形容詞，数詞などが付かなければ不定冠詞をとるという考えはおかしい。無冠詞もありうる。

temperature も「暖い」「寒い」のように幅広くなると *a* hot temperature，*a* cold temperature となる。従って，状況によっては hot temperature*s* も cold temperature*s* もありうる。

(71) Don't leave *an iron* heated.

(アイロンをつけ放しにしておくな)

(72) *Iron* is the fourth most abundant element on the earth.

(鉄は地球上で 4 番目に豊富な元素である)

上例からわかるように iron と an iron では内容が違う。「鉄」の意味なら不可算語となり，不定冠詞は付かず，従って，複数形もない。「アイロン」の意味なら可算語であり，単数なら必ず an が付き，複数形も存在する。物質名詞，抽象名詞など不可算語であるものも，このように具象性を表わすと，物質名詞，抽象名詞でなくなる。

次は，抽象名詞が可算語となった例である。

(73) Because of different types of *transmissions* it is impossible to give complete details covering the removal of each type of *transmission* from each chassis.

(変速装置には色々なタイプがあるので，それぞれの装置をそれぞれのシヤシーから取りはずす方法をすべて詳述することは不可能である)

後の transmission も a transmission のことだが each type of が前に付いたため不定冠詞が脱落した例である。

(74) a) They manufactured letter *papers*.

(その会社では便せんを製造していた)

b) A classical *paper* in the field is titled "What the Frog's Eye Tells the Frog's Brain."

(この分野における古典的な論文は「カエルの目がカエルの脳に伝達するもの」という題名である)

c) Among the *papers* presented was one describing work on electronic systems that "heal" themselves when parts fail.

(提出された論文の中には，ある部分が壊われたとき自分で直す電子系統に関する研究を書いたものもあった)

(74) a の papers（紙）は種類の複数形であるが，(74b,c) の a paper, papers は「論文」のことである。paper は「紙」a paper は「論文，新聞，

試験問題」。papers はこれらの複数および「書類」を意味するのである。「1 枚の紙」は a sheet of paper,「2 枚の紙」は two sheets of paper である。

以上から，可算語となって，不定冠詞がつくか複数形になると具象性を表わし,「1 つ，2 つ…」と数えられることになる。production は「生産, 産出」であり, productions は「生産品 , 製品」を意味する。remote control は「遠隔制御」であり，*a* remote control, remote controls は「遠隔制御方式 / 装置」のことである。

(75) In fact *control* of the laser beam, once produced, is less easy than *control* of an electron beam.
(実際，レーザー光線の制御は，一度発生されると，電子のビームほどその制御が 容易でない)

(76) Complex remote *controls* must be provided to move the components about, and lubrication under vacuum can be quite difficult, making such *controls* stiff.
(部品をあちこちに動かすためには，複雑な遠隔操作装置を設けねばならないし，真空下での潤滑はまったく困難で，その制御装置をスムーズに働かなくさせるのである)

(75) の control は，ごく普通に用いられる例であり，(76) の controls は provide などからわかるとおり，「制御装置 / 法」のことである。

(77) With the coming of the Space Age, further *development* of the heat-resisting alloys based on various combinations of nickel, chromium, and cobalt, with a variety of hardening *additions*, has become increasingly important.
(宇宙時代の到来で，ニッケル，クロム，コバルトに色々な硬化用添加剤を色々に組み合わせて，それを基本にして耐熱合金をさらに開発することが，ますます重要になってきている)

further に修飾されている理由もあるが，ここでは development は不可算語として扱われている。なお，addition(付け加え，付加) が additions (付加物，添加剤) と可算語として扱われている。

次例は development, improvement を可算語としている。

(78) recent *developments* in computer technology (コンピューター技術の最近の [色々な] 進歩)

(79) Let me summarize certain recent *developments* in immunology and trace their consequences for spare-part surgery.
(免疫学における最近の発展状況を要約し，それが移植手術におよぼす影響をつきとめてみよう)

(80) Great *improvements* have been made on this equipment. (この装置は大改良された)

以上の複数形は，ある動きの段階／結果を具体的に示しているといえよう。以上のほかに次のような語をよく見かける。

(81) a) The jack has a lever handle with a *length* r.
(ジャッキには長さ r のレバーハンドルがついている)
b) It is 10 meters in length.
(長さは 10 メーターである)

in length は一つの決まったイディオムになっているため a が付かない。

(82) In high precision *applications* the two metals can be made so sensitive that the temperature is kept constant to within one degree.
(非常に精密に用いれば, 2 つの金属は非常に敏感に作れるので, 1 度以内まで一定の温度に保てる)

application に，色々な程度を意味する high が付いているので application*s* になった。形容詞が付かないと次例のように単数形。

(83) The *application* of photogrammetry in traffic engineering requires the measuring of profiles and cross-sections.
(交通工学に写真測量を利用するときは，縦断面と横断面の測定が必要である)

(84) Copper–the *metal* used to make electric wire–is one of those metals.
(鋼 (これは電線を作るのに使われる金属だが) は，これらの金属の一つである) Copper は形容詞が付いていないので無冠詞。

(85) A solder joint establishes a good mechanical *connection* between two wires.

(はんだの継ぎ目は 2 本の線をしっかりと機械的に結合する)

connection に程度を意味する good が付いたので，a (good mechanical) connection になった。

(86) Computers handle information far beyond the limits of human memory and may perform at high speed *calculations* that a man would need a lifetime to do.

(コンピューターは人間の記憶の限界をはるかに越えた情報を扱い，人間なら一生かかる計算を高速度で遂行できる)

calculation に，程度を意味する high が付いたので，calculations になった。

(87) Some parts of the *calculation* can be shortened by Table 3.

(計算のある部分は表 3 を使って短縮できる) parts of が前置したので calculation は単数形。

(88) ... to build a house with an *air* of distinctive informality.

(非常に変わった外見の家を造る)

air が「外見 (appearance)」を意味するときは，an を付けるか airs になる。

(89) We would die without air. (空気がなければ死ぬだろう)

air が「空気」を意味するときは通例，無冠詞。

(90) *Light* from the camera lens is converted into *patterns* on a plastic tape coated with a magnetic *material*.

(カメラのレンズから出る光は，磁気材料を塗ってあるプラスチックのテープ上でいろいろな模様に変えられる)

light は「光」だから無冠詞。限定したかったら the light と定冠詞を付ける。magnetic material は限定しない磁気材料だから不定冠詞。

(91) The raw *materials* are treated chemically, in some cases, melted by heating, to form a viscous liquid.

(原料は化学的に処理され，ある場合には熱で溶けて，強粘液

を形成する）

material は「服地」などのような場合は不可算だが，通常は可算語。

3.6.2 物質名詞や抽象名詞の数え方

物質名詞，抽象名詞など数えられない名詞を 1 つ 2 つと数えるときに a piece of（単数形），pieces of（複数形）の形で用いるが，この「…個の…」とか「1 山の（砂）」のようにいうときは，次のような英語を用いる。

3.6.2.1 単位を示す語を使って

an article of (clothing/food/furniture, etc.)（1 個の）

a ball of (string/wool, etc.)（1 たまの）

a bit of (news/advice, etc.)（1 つの）[a piece of の代用になる]

a bottle of (milk/beer, etc.)（1 びんの）

a bucket [pail] of (water, etc.)（バケツ 1 杯の）

a bundle of (rag, etc.)（1 束の，1 包みの）

a can of (milk, etc.)（《米》1 缶の）

a chunk of (bread/iron, etc.)（大きい 1 片の）

a copy of (invoice/book, etc.)（1 通，冊の）

a cup of (water/wine, etc.)（1 杯の）

a drop of (water, etc.)（1 滴の）

a fragment of (brass/glass, etc.)（1 片の）

a glass of (milk/water/wine, etc.)（1 杯の）

a grain of (rice/sand, etc.)（1 粒の）

a heap of (rice/wheat/refuse, etc.)（1 山の）

a lump of (coal/ice, etc.)（1 かたまりの）

a mound of (sand/earth, etc.)（1 山の）

a packet of (salt/starch, etc.)（小さな 1 包み / 1 箱の）

a pair of (compasses, glasses, scissors, socks, etc.)（1 対の，1 組の，1 着の，1 足の）

a pane of (glass, etc.) (1 枚の

a pinch of (sugar/pepper, etc.) (1 つまみの)

a piece of (information/advice/paper, etc.) (1 片 / 個の)

a roll of (paper/film, etc.) (1 巻の, 1 本の)

a sheet of (paper/metal, etc.) (1 枚の)

a slice of (bread/ham, etc.) (1 切れの)

a speck of (dust, etc.) (小さい 1 つの)

a spot of (grease/oil/ink, etc.) (1 滴の)

a stick of (chalk/candy, etc.) (1 本の)

a strip of (paper/land, etc.) (細長い 1 枚の)

a tin of (jam/meat, etc.) (《英》 1 缶の)

3.6.2.2 容器や食器などを表わす名詞に -ful を付けて

a bag*ful* of (salt/wheat, etc.) (袋 1 杯の)

a cup*ful* of (water, etc.) (茶わん 1 杯の)

a hand*ful* of (nails, rice, soil, etc.) (1 握りの)

a jug*ful* of (water/milk, etc.) (水差し 1 杯の)

a spoon*ful* of (tea/sugar, etc.) (スプーン 1 杯の)

a tablespoon*ful* of (salt, sugar, etc.) (大さじ 1 杯の)

a tank*ful* of (water, etc.) (タンク 1 杯の)

a tin*ful* / can*ful* of (salt, etc.) (缶 1 杯の)

3.6.2.3 船や貨車など輸送手段を表わす名詞に -load を付けて

a car*load* of (sugar, etc.) (貨車 1 台分の)

a cart*load* of (salt, etc.) (荷 (局) 車 1 台分の)

a lorry*load* of (sand, etc.) (《英》トラック 1 台分の)

a ship*load* of (salt, etc.) (船 1 隻分の)

a truck*load* of (salt, etc.) (《米》トラック 1 台分の)

3.6.3 単数と複数で内容の異なる語

名詞を可算扱いした場合と，不可算扱いしたときとでは，内容が異なることはすでに述べた。次に単数形の場合と複数形では，どのように内容が違うか，その違いを見てみよう。

(92) a. It has much *hardness*. (それはたいへんな堅さである)
Hardnesses of over 10 are dangerous. (10以上の硬度は危険である)

b. There is not much *increase*. (増加はあまりない)
Increases of up to 15% have occurred. (15%までの増加(率)が起こった)

c. There is not much *reduction*. (減少はあまりない)
Reductions in speeds have occurred. (減速が起こった)

d. It has much *weight*. (それはたいへんな重さである)
These *weights* are useful. (これらの分銅は有用である)

この種のものに breadth，clearance，decrease，gap，height，length，pressure，thickness，value，width などがあるが，この用法は，少し考えれば分かることである。

次のような動名詞も単数と複数では意味が異なる。

(93) a. He likes *drawing*. (彼は製図を書くことが好きだ)
His *drawings* are good. (彼の書いた製図はすばらしい)

b. This machine does the *filing*. (この機械は，そのやすりかけをする)
The *filings* are collected. (やすりくずは集められる)

c. This machine does *filling*. (この機械は詰める作業をする)
The *fillings* are made of different materials. (詰めものは色々な材料で作られる)

d. This machine does the *grouping*. (この機械は組み分けをする)
The *groupings* are in similar order. (組み分けしたものは同じような順序にある)

e. He likes *painting*. (彼は絵を書くことが好きだ)
His *paintings* are good. (彼の書いた絵はすばらしい)

f. This machine does the *sweeping*. (この機械はそのそうじをする)
The *sweepings* are collected. (ごみくずは集められる)
g. He likes *writing*. (彼は字を書くことが好きだ)
His *writings* are good. (彼の著作はすばらしい)

以上のほかの「分化複数」については拙著『科学技術英語の正しい訳し方』(南雲堂) を参照されたい。

次のような場合も単数と複数では内容を異にするので注意すべきである。

「化学変化の実験をした」に対して，

(94) a) *An* experiment has been performed on *a* chemical change.
b) Experiments have been performed on *a* chemical change.
c) Experiments have been performed on chemical change*s*.
d) *An* experiment has been performed on chemical change*s*.

が考えられ，An experiment は読み手が知らない実験，some を once (1 回)，Experiments は，読み手が知らない実験か more than once (2 回以上) かを意味する。a chemical change は化学変化が 1 回，chemical changes は化学変化が 2 回以上を意味する。従って，日本語から英語に翻訳する場合は，名詞の単数 / 複数には注意しなければならない。

3.6.4 単複同形語

次のような接尾語 -craft，-ware，-ery の付いた語は単数複数同形である。

3.6.4.1 接尾辞 -craft の付いた語

air*craft* (航空機)，handi*craft* (手仕事)，space*craft* (宇宙船)，witch*craft*（魔力），wood*craft* ([米] 森林管理）など。

これらの語は → these aircraft/spacecraft や various handicraft/witchcraft/woodcraft のように数えられる場合でも，複数形の -s は付かない

3.6.4.2 接尾辞 -ware の付いた語

(95) chinaware (陶磁器類), delftware (デルフト焼き), earthenware (土器), enamelware (ほうろう [瀬戸引き] 鉄器), flatware (平らな食卓器具), glassware (ガラス製品類), hardware (金属 [製品], ハードウェア), ironware (鉄製品), kitchenware (台所用品), silverware (銀器), software (ソフトウェア), tinware (ブリキ製品), tableware (卓上食器類), vaporware (ベーパーウェア) など。

3.6.4.3 接尾辞 -ery の付いた語

(96) crockery (瀬戸物類), confectionery (砂糖菓子), cutlery (刃物類), drapery ([米] 厚手のカーテン), hosiery (メリヤス類), machinery (機械類), millinery (婦人帽子類), perfumery (香料類), stationery (文房具), tracery (トレイサリー) など。

3.6.5 複数形で多用される語

(97) billiards (玉突き), checkers (チェッカー), compasses (コンパス), dice (さいころ), dividers (分割コンパス), glasses(めがね), gloves（手袋）, handcuffs（手錠）, instructions (説明書), marbles (おはじき), pants ズボン), proceeds (収入，収益), slacks（スラックス）, specifications (スペック・仕様書), spectacles (眼鏡), stockings（ストッキング, trousers（ズボン）など。

以上のほかについては拙著『科学技術英語の正しい訳し方』(南雲堂), 本中の「複数の要点」を参照されたい。

3.6.6 数の一致と呼応

単数形の名詞を複数の動詞や代名詞で受けたり，複数形の名詞を単数の動詞や代名詞で受けるまぎらわしい場合がある。

(98) *Fifty kilowatt-hours was* registered by the meter.

(そのメーターでは 50 キロワット時が記録された)

Fifty kilowatt hours が一つの量だから hours であっても were でなく was である。一つの数とみているからである。

(99) *Two pounds is* enough for the experiment.

(その実験には 2 ポンドで十分である)

(98) と同じ理由で is である。

(100) Two *goldfish* are in the bowl.

(金魚が 2 匹金魚鉢に入っている)

goldfish は集合名詞だから，種類をいうとき以外は goldfishes とならない。

(101) Two is to four as *three is* to six. (2:4=3:6)

(98), (99) と同様に Two と three をそれぞれ一つの量とみているので are とならない。

(102) *Four times three equals* twelve. (4x3=12)

Four times three を一つとみている。

(103) *Two-thirds* of the experiment *has* been completed.

(その実験の 3 分の 2 が終わった)

Two-thirds を一つの量とみているので have でなく has。

(104) The following are the minimum materials for this lubrication: ....

(この潤滑には次の材料が最少限必要である：....)

この文は The minimum materials for this lubrication are as follows: .... のことだから The following is.... でなく，The following are.... である。following のような単語には，この用法が多いので注意されたい。

(105) There *are* two rods in the beaker.

(ビーカーには 2 本の棒が入っている)

Two rods *are* there in the beaker のことだから。

(106) A screwdriver is one of the most useful tools which *are* used for assembling the device.

(ねじ回しは，その装置の組立てに使うもっとも有用な道具である)

the most useful tools are used for.... のことだから。

(107) Lobster tails *is* the first item for the discussion.

(イセエビの尻尾が討論の最初の項目である)

The first item for the discussion is lobster tails. とも考えられるが "Lobster tails" is the first item.... のように，lobster tails を一つのまとまった概念を与えると解すれば is が are にならないことが理解できよう。

(108) *A series* of meetings *was* held to improve the device.

(一連の会合が，その装置を改良するために開かれた)

a series of は単数の動詞が呼応する。

(109) a) *Most* of the screwdrivers *were* collected there.

(たいていのねじ回しがそこに集められた)

b) *Most* of the water *has* leaked.

(大部分の水が漏った)

most of の次に複数形の名詞がくると動詞は，通例，複数に呼応する。

(110) a. *Some* of the water *has* leaked. (ある量の水が漏れた)

b. *Some* of the screwdrivers *were* collected there.

(教本のねじ回しがそこに集められた)

some of の次に複数形の名詞がくると動詞は，通例，複数に呼応する。

(111) a. *None* of the steam *has* leaked. (その蒸気は，全然，漏れていない)

b. *None* of the screwdrivers *were* collected. (ねじ回しは一本も集められなかった)

none of の次に複数の名詞がくると動詞は，通常，複数に呼応する。

(112) *Mathematics is* an important subject.

(数学は重要な科目である)

atomics(原子学), physics (物理学)のような学問 / 学科名は -s であっても単数の動詞で呼応する。

(113) *Textiles is* an industry in need of import quotas.

(織物は輸入割当量の必要な産業である)

textiles と複数形をとっても動詞は，通例，単数で呼応する。

(114) His *scissors* were broken. (彼のはさみは壊れた)

A pair of scissors was found there. (はさみが一丁そこで見つかった) のように a pair of がつくと単数の動詞で呼応する。

(115) a. Neither an engineer nor the *repairpersons were* there.
(技術者も修理工もそこに，いなかった)
b. Neither repairpersons nor an *engineer was* there.
(修理者も技術者もそこにいなかった)

neither ... no ... の構文は，動詞の直前の主語の数に動詞が呼応する。

(116) a. Either he or *I am* going to repair the machine.
(彼か私のいずれかが機械の修理をするところです)
b. Either I or *he is* going to repair the machine.
(私か彼のいずれかが機械の修理をするところです)
c. Either the engineer or the *repairpersons* used *their* tools.
(技術者か修理工のいずれかが自分たちの道具を使った)
d. Either the repairpersons or the *engineer* used *his* tool.
(修理工か技術者のいずれかが自分の道具を使った)

either ... or ... で結ばれる名詞や代名詞では，動詞は後のほうの(代)名詞の数 / 人称に呼応する。

以上のほかに not only ... but (also) ... で結ばれる名詞の数が異なるときには，動詞は後のほうの名詞の数に呼応する。

(117) Not only the engineer but also the *repairpersons were* there.
(技術者ばかりでなく修理工も，そこにいた)

(118) *More than one* spot was found there. (2 つ以上のしみが，そこで発見された)

more than one は単数動詞で呼応する。

(119) *One or two* weeks later the experiment began. (1, 2 週間後に，その実験が始まった)

one or two には複数名詞が続く。

(120) Dalton concluded that all matter is composed of atoms.(ダルトンが結論づけたこと は，すべての物質は原子で構成されているということである)

matters は「(ばくぜんと)事情，事態」のことになる。物理学で「物質，物体」を意識するときは単数形が用いられる。

次に集合名詞の場合を考えてみよう。

(121) The engineering team *is* a large group.

(122) The engineering team *are* doing their best in the experiment.

(121) は「その技術者のチームは大きい集団である」ことで「チーム」を一つの単位に考えている。(122) は「その技術者のチームのメンバーはその実験で最善の努力を払っている」ことで,「チームの各メンバー」を考えているから動詞は複数扱いになる。同じようなものに class, audience, committee などがある。

2 つ以上の名詞が and で結ばれても，まとまった一つの単一体として扱われるものに curry and rice (is ...)，soup and salad (is...)，bacon and egg (is...), ham and egg (is ...)，a horse and buggy (is …) (軽馬車)，a brace and bit (is ...) (曲がり柄つきドリル) などがある。

なお，company (会社) は構成員を考えると複数扱いであり，法人と考えた場合は単数扱いである。

次のような社名についている -s にまどわされてはならない。

(123) Johnson and Sons is a reliable distributor.

(ジョンソン・アンド・サンズ社は信頼のおける販売店である)

Sons から息子が 2 人以上いることになる。

3.7 代示

名詞の反復を避けるには，代名詞 (it, this, that, they, he, you, we, etc.) を使うのが普通だが，次のようにあい昧な文になることがある。

3.7.1 あい昧な代名詞

(123) Father told his son that *he* should have studied harder.

（父は息子に言った，もっと一生懸命勉強をするべきだった）

この文で，イタリック体の he は文頭の Father を指すのか his son を指すのかあい昧である。内容から his son だと言われればうなずけるが，この文では Father だといわれても異論を唱えることはできない。

次の文の代名詞はどうだろう。

(124) Naturally, the people of' that time had no idea of what electricity was. Some should thought that it was a sort of steam that boiled out of the rubbed material and that, when *it* condensed and went back into the material, *it* pulled light objects — such as bits of paper or dried leaves -- back with it.

（当然のことであるが，当時の人々は電気が何であるか一向見当がつかなかった。それは擦られた物体から沸き出る蒸気の一種であって，凝縮してもとの物体へ戻るとき，紙とか枯れた葉の小片のような軽い物を引きつけるのだと考える人もいた）

イタリック体の *it* は steam のことであるが，その前に electricity を指す it があったり，the material などがあるため紛らわしい。when *it* condensed を when *the steam* condensed とすれば明確になる。

(125) He also suggested both active repeaters, equipped to amplify the signals *they* received and retransmit *them* to earth, and passive repeaters that would in effect be simply mirrors that bounced messages back to earth.

（受信した信号を増幅し，地球へ再送信する装置をそなえた能動中継器と，事実上は通信を地球へはね返す鏡にすぎない受動中継器の両方を，彼はまた提案した）

they は active repeaters，*them* は the signals のことであるが，they と them が距離的に近いので紛らわしい。*they* を the repeaters にするか *them* を the signals にすれば誤解の余地がなくなる。

3.7.2 不注意な代示

科学・技術分野の英文では，(124) (125) の例文のように，名詞が数多く存在するのが常態なので，名詞の後の文で it や they などの代名詞を使う代わりに，別の名詞に定冠詞を付けて，「the ＋名詞」の形を用いることが多い。

(126) The truck turned over. The *vehicle* was an enormous engine on a steel frame.

(トラックがひっくり返った。この乗物は，鋼製のフレームに取り付けられた巨大な機関だった)

truck は vehicle だから，ここでは，vehicle は truck の代示である。このように truck を次の文で代名詞 it で表すより，「the + 名詞」で表現した方が明確になる。この名詞については定義法の

Term (用語) = Class (分類) + Differentia (区別)

の Class を用いることを勧める。定義法については，拙著『ICT 時代の英語コミュニケーション：基本ルール』(南雲堂) や *Instructing Japanese Learners of English Technical and Scientific Writing: The Rhetorical Approach* (研究社) などを参照して欲しい。

(127) The air conditioner switches off automatically. The *system* was installed on the wall.

(そのエアコンは自動的に電気が切れる。その機械は壁に取り付けられた)

The *system* は air conditioner の代示語。The device や The equipment などでも可能だが The system の方が明確で具体性がでる。

(128) The vacuum cleaner used on the carpet. After about five minutes the *apparatus* was broken down.

(じゅうたんに電気掃除機をかけたが，５分ほどして，機械は完全に壊れた)

The vacuum cleaner の代示として明確な the apparatus が用いられている。vacuum cleaner は電気器具だから，the machine や the device より the apparatus の方が明確である。

代名詞を名詞に先行させるのは，何を指すかが分からないので，先行させるのは好ましくないことは明白だが，代示も何を指すか明確な，本来の名詞に先行させない方が良い。

次の様な，一般的で，多用されている名詞も，科学・技術英文では，何を指すか明確な名詞の前に置かない方が良い。the article (記事，論文，物品，条項），the brochure（小冊子，パンフレット），the literature (文献)，the paper (書類，論文), The pamphlet（小論文，仮綴じの小論文，パンフレット），the publication（出版物，公表）なども極めてあい昧である。

(129) The *document* explains precisely and correctly how to manufacture the device.

(この書類は, その装置の製作法を明確に, 正しく説明している)

内容は理解できるが，The document がはっきりしないので，いきなり使用すべきではない。The specifications (仕様書) か The manual のような語に置き換えるべきである。

(130) His *work* is contained in a book recently published.

(彼の研究は，最近発行された本に収められている)

このままでも良いが，His work on computers や His researches などで始めると，少しは明確になる。代示も「一語一義 (one-word・one-meaning)」の語を選定すべきである。

(131) The ABC Company will have to reduce the *personnel*.

(ABC 社は職員を減らさねばならないだろう)

personnel では，はっきりしない。clerks, engineers, salespersons, secretaries などを使ったほうが良い。

(132) The experiment will be performed at our *place*.

(その実験は，われわれの場所で行なわれるだろう)

our place では不明確である。facility(施設)，site (場所) などもあい昧である。our plant，our laboratory，our institute などを用いると場所がはっきりする。

(133) The operation *area* controls all the flights.

(そのオペレーションを行なう所は，飛行すべてを制御する)

このareaは，(132)のplaceと同様に，あい昧である。centerかofficeか，更に明確な代示語を使うべきである。

(134) Beer is manufactured at the *mills*.

(ビールがその工場で作られる)

説明するまでもなく，millsは誤り。中学，高校の授業ならfactory，plantなどでも良いだろうが実用の世界では誤解される。「ビール工場，ワイン工場」はbrewery(醸造所)である。

これらの違いは，拙著『科学・ビジネス英語活用辞典』(研究社)で説明してある。

(135) If any bracing is required, the contractor shall furnish *the same* at no additional cost.

(控えが必要になった場合，追加料金を支払うことなく，契約者がそれを供給するものとする)

仕様書(specifications)の一文であるが，契約書などで使われがちなthe sameとか，said bracingのような語は用いないほうが良い。ここではthe sameのかわりにitで良いだろう。しかし,あい昧である。the bracingでも良いが，仰々しくなる。

(136) We have already applied in our plant *your* system mentioned in your letter of June 20.

(6月20日付貴信で述べられたシステムは，当工場では採用ずみです)

この文は，

(137) a) We have already applied in the plant the system you mentioned in your letter of June 20.

b) Our plant have already applied the system you mentioned in your letter of ....

c) The system you mentioned in your letter of June 20 has been already applied in our plant.

(136) は (137a) か (137b) か (137c) としたほうが穏やかである。カタログ類では，Our factory なども同様だが，We とか Our plant (Our company) などを文頭に出さないで，社名を完全な形で用いたほうが良い。いずれにしても，代示では地名などのような固有名詞以外は定冠詞を付けることが普通で，人称代名詞の所有格を用いるときは，その型が適切か否かを考えねばならない。

先行する名詞のかわりに，(130) では The work としないで His work，(132) では the place でなく our place としたが，his なら良いとして，our や your はもったいぶった表現になる傾向が強く，your は，その上，相手を批難することにもなりかねないので注意をした方が良い。

3.7.3 同じ文中で同一名詞による例

実際に代示がどのように現われるか調べてみよう。

(138) Ranger III went into orbit around the sun, an *orbit* slightly larger than the *orbit* of the earth.

(レンジャー 3 号は，地球の軌道よりわずかに大きい軌道を描きながら，太陽を中心とする軌道へ入った)

同一名詞の繰り返しは，強意のためか，他の名詞との混同を防ぐためのようだが，(138) では，あとの 2 つの orbit は別段 emphatic に用いられているとも思えない。

(139) The lowest-cost cooling device is the room air conditioner. The indoor portion of *the unit* consists of an air filter, a fan, and a cooling coil. The warm, humid indoor air is drawn through *the filter* and into *the fan*. *The fan* blows the warm, humid air over *the cooling coil*, which cools and dehumidifies the air before it is blow into the room.

(一番廉価な冷却装置はエアコンである。その室内部分はエアフィルター，ファ ン，と冷却コイルで構成されている。暖かい，湿気をおびた室内の空気は，フィルターを通過して，ファンへ引き入れられる。ファンは，この暖かい，湿気をおびた

空気を冷却コイルに吹きかける。このために，空気は冷却され，除湿されてから室内に送り込まれる）

the unit については，すでに説明した代示であり，このように，先行する名詞の the room air conditioner のかわりに用いるのは良い。次項「同じ文中で別の名詞による例」を参照。the filter と the fan と the cooling coil の繰返しに注意すべきだろう。明確で良い。

論文などでは，何を指すかが曖昧になるから the former，the latter とか「前者，後者」を意味する that，this は使わないほうが良い。

次のような修飾語句を省略したケースもすこぶる多い。

(140) The mounting bracket for *the machine gun firing solenoid* is not rigid enough; it deflected when *the solenoid* was actuated, resulting in an occasional stoppage of fire.

（機関銃発射ソレノイドの砲架の夾叉は十分に堅固でないので，ソレノイドが作動すると偏向して，発射がときどきとまる結果になった）

the machine gun firing solenoid を the solenoid で受けている。このような例は，カタログ，説明書，報告書にすこぶる多い。「修飾語による代示」(§3.7.7) 参照。

3.7.4 同じ文中で別の名詞による例

正確性のためと同時に，付加的説明をする場合が多いが，computer を the machine, satellite を the vehicle といった名詞で代示することも多いので，すべてが付加的な説明をするとは限らない。これは，その名詞の内容を説明するのに効果がある。

(141) While chess experts deplore a scientist's suggestion that *a computer* will be world champion by 1967, *the electronic brain* gives ever more convincing demonstrations of its ability in this direction.

(1967 年までにはコンピューターがチェスの世界チャンピオンになるだろうと，科学者が言っていることをチェスの達人たちが嘆いている間に，電子頭脳であるコンピューターは，こ

の方面における能力を更に有力に実証している）

a computer を *the electronic brain* で言い換えている。この例では付加的な説明をしていて，きわめて効果的で便利な用法である。これによりコンピューターを「電子頭脳」ということも分かるのである。… that a computer which is called electronic brain will be world champion by 1967, *the electronic device* gives us … とするより遥かに気がきいている。

(142) When gabbro is composed almost exclusively of labradorite, *the rock* is called anorthosite, of which large amounts occur in Wyoming, eastern Canada, and Scandinavia.

（はんれい岩がほとんど曹灰長石だけから成るとき，斜長岩と呼ばれ，その多くはワイオミング，カナダ東部，スカンジナビアに産する）

gabbro を単に the rock で言い換えているに過ぎないが，これにより gabbro が岩石であることがわかる。

3.7.5 同じパラグラフ中で同一名詞による例

(143) Another system would employ “active-repeater” satellites. Such *satellites* are equipped with radio receivers and transmitters to receive, store, amplify, and retransmit messages.

（もうひとつの方式は「能動中継器」として人工衛星を使用するであろう。このような衛星は通信を受信し，蓄積し，増幅し，再送信する無線受信機と送信機を備えている）

この例のように “active-repeater” satellites を satellites 1 語で表わすケースはごく普通で，科学・技術文では多い。

次は同じ語を形容詞用法として名詞に前置した例である。

(144) A *satellite* orbital plane may be likened to a flat plate passing through the center of the earth. The *plate* edge is the *satellite’s* orbit.

（人工衛星の軌道面は地球の中心を通る平面にたとえられる。平面の端は人工衛星の軌道である）

The plate edge の plate は §3.7.3 の最後の例文 (140) にある the

solenoid と同じに考えて良い。これは形容詞用法の一例であるから次に名詞の例をあげる。

(145) *Amplifiers* 5 and 6 are inverters. *These amplifiers* provide necessary signals to the GO signal circuits, which are discussed in the next section.
(増幅器 5 と 6 はインバーターである。これらの増幅器は GO 信号回路に必要な信号を供給する。このことについては次項で述べる)

(146) When the problem is completely solved and the final answer obtained, the calculation is stopped, and the output, or answer, is *read out*. The information thus obtained may be recorded on a sheet of paper, so that *the read-out* is simply a matter of reading the recorded numbers.
(問題が完全に解け，最終の答が出ると計算はとまり，出力，すなわち，答が読み出される。このようにして求められた情報は 1 枚の紙に記録される。だから，読出しは単に記録された数を読むことにすぎない)

動詞 *read out* をそのまま名詞 the read-out として用いている。read out は，readout として，名詞としても使われる term だからである。

3.7.6 同じパラグラフ中で別の名詞による例

§3.7.4 と同様に考えて良いだろう。

(147) In Edwards, California, Loren E. Herman sets up *a series of subcarrier oscillators* in a telemetry system. *The device* is used to transmit data from planes being tested by General Dynamics.
(カリフォルニア州エドワーズでロレン・E. ハ — マンは，一連のサブ搬送波発振器を遠隔装置に組み入れている。この装置はジェネラル・ダイナミックス社でテストされている航空機からデータを送るのに使われている)

The device は *a series of subcarrier oscillators* の代示で，付加的な説明はし

ていない。

(148) Every automatic calculator has an input unit and an output unit. The input unit supplies to *the machine* the data it works with, and special instructions for the job to be done.

(自動計算機にはすべて入力装置と出力装置がある。入力装置は，機械が仕事をするデータと仕事を行なうための特別な命令を機械に与える)

The machine は *automatic calculator* の代示。calculator は device でも良いが，input unit も output unit も device だから混乱を防ぐために machine を用いたのであろう。更に，混同を避けるために an input unit を the input unit で繰り返している。

以上の例は，絶対に代名詞を使うなということを勧めている訳ではない。文があい昧にならなければ使用すべきだが，科学・技術文では代名詞の使用頻度は少ない。

3.7.7 修飾語による代示

3.7.7.1 第 1，第 2，…要素による場合

名詞の積み重なった複合語で，最後の名詞でなく，その前に置かれる名詞を用いて，その複合語を代示する場合が科学・技術文に多い。第 1 要素の名詞の場合もあれば，第 2，第 3 要素の場合もあり，あるいは，第 1，第 2 などを一緒にした場合もあって形態は様々である。製品名，部品名，社名などを文中で繰り返すときに，しばしば，この現象が現われる。製品名や社名などを読者に強く印象づけるためである。

例えば，Monroe 6N-213 Calculator (モンロー 6N-213 型計算機) を the Monroe とか，the Monroe 6N とか，the Monroe 6N-213 とか，the 6N とか，the 6N-213 のように，第 3 要素の名詞 Calculator を無視して，その複合語と同じ意味を表わしている。NEAC-2000 Electronic Data Processing System (ニアック 2000 シリーズ電子式データ処理システム) も，the NEAC-2000 のように modifier がそ

のまま残って複合語のかわりになる。しかし，これらもそれぞれ the calculator (あるいは the Calculator)，the system (あるいは the System か the EDPS) で代示されるケースも多い。ここでは，複合語の第 1，第 2 要素の名詞がその複合語の代示として用いられ，正確性を高めると同時に，読者に製品名や社名を強く刻み付けようと意図する場合を述べる。

(149) In Japan, 25 nuclear-propelled ships have been designed, and *Kawasaki* and *Mitsubishi* have built full-scale models to determine dynamic characteristics and ....
(日本では，25 隻の原子力船が設計され，川崎と三菱が動特性をつかむために実物大の 模型を造っている)

Kawasaki，Mitsubishi は Kawasaki Heavy Industries, Ltd. (川崎重工業) と Mitsubishi Heavy Industries, Ltd. (三菱重工業) のことであろう。

3.7.7.2 第 1 要素の名詞が残った語

次のような語は日常，頻繁に用いられた結果，第 1 要素の名詞だけが残り，複合語と同じ意味を表わすようになって一般化したもので，shortening の形である。

Kodak=Kodak camera (コダックカメラ) 商標名だったが，現在では小文字で始めて「小 型携帯カメラ」「コダックで撮影する」などの意味にも用いられている。

Xerox=Xerox machine（ゼロックス複写機）商標名だったが，現在では小文字で始めて「ゼロックスでコピーをつくる」などの意味にも用いられている。

hi-fi=high fidelity sound reproduction (ハイファイ)

jet=jet-propelled plane (ジェット機) あるいは jet engine (ジェットエンジン)

nylons=nylon stockings (ナイロン製靴下) 元来は商標名。

rifle=rifle gun (ライフル銃)

taxi=taximeter cab（タクシー）

snap=snapshot picture（スナップ写真）

stereo=-stereophonic sound reproduction system（ステレオ音響再生（方式））あるいは stereoscopic photography（立体写真術），あるいは stereotype（ステロ版）。

これらは複数形としても用いられる。hi-fi を除き taxi 以下は，第 1 要素の名詞の頭部だけが残った例である。

3.7.8 明確な代示

代示の本質的な目的は，表現の正確性にある。次の例は，文中の複合語に代わり，内容を明確にするために用いたものである。

(150) The transmitter section contains a 2N373 transistor which acts as.... Although primarily as if amplifier, the *2N373* was chosen because....

（送信部には…として働く 2N373 トランジスターが使われている。この 2N373 は主として中間周波増幅器としてであるが，…の理由で選ばれた）

a 2N373 transistor を the 2N373 で表わしている。

(151) Nealey's opponent happens to be a machine – IBM's 7094 computer.... Strictly speaking, the *7094* is not a checker-playing machine but a general purpose computer.

（ニーリーの相手は，たまたま機械，それも IBM 社の 7094 型コンピューターである。厳密に言えば，7094 はチェスをやる機械ではなく汎用コンピューターである）

(150) と同様，IBM's 7094 computer を the 7094 で表わしている。

製品が有名になると，次例のように，最後の中心となる名詞を省略しても内容に誤解が生じない。

(152) Recently the Combustion Engineering Co., Inc., manufacturer of atomic reactor, began sending their reports in on tape prepared on an *IBM 650*.

（原子炉メーカーのコムバスチョン・エンジニアリング社はIBM 650で準備したテープを使って，最近，報告書を送り込み始めた）

IBM 650はIBM 650 computerのこと。

(153) All the new *Johnson* are engineered for quiet operation.

（新型ジョンソンは，すべて，静かに作動するよう造られている）

Johnsonは，ここではJohnson motorboat engines（ジョンソン社製モーターボート・エンジン）のこと。

3.7.9 同じ語句の繰返し

代名詞を用いないで，同じ名詞を繰り返すか，別の英語で代示するケースが科学・技術文に多いことはすでに述べた。同じ語句の繰返しもすこぶる多い。

普通の散文などでは，同じ語や句の繰返しは強調の一手段であり，不注意な繰返しは読者に不快感を与えるので避けることが常識になっている。しかし，科学・技術文では，この常識について行けない場合が多い。もちろん，不注意な繰返しは絶対に避けなければならないが，常に決まって用いられる専門用語を自分勝手に別の英語で言い換えることはできないので，強調しようとの意識がなくても，読者に誤解を与えないために，繰り返さざるを得ない場合が起こる。The University of TexasのG. H. MillsとJ.A. Walter教授は*Technical Writing*という本の中で，冗語（redundancy）と同一語の繰返しとは混同してはならないとして，

An attitude-control system controls the attitude of the Tiros satellite. [イタリック体は筆者]（姿勢制御方式によりタイロン観測衛星の姿勢が制御される）

の例文をあげている。そして，attitudeとcontrolがこのような短文で繰返されているが，attitude-controlは決まって用いられる専門用語だから，この種の繰り返しは仕方がないと説明している。詩などでは，故意の繰り返しが独特の効果を生むが，科学・技術文では同

じ効果は期待できない。しかし，「かぎ」となる語 (keyword) の繰返しは，正確性を高めるので使用を勧めたい。

(154) Although the AISC Code permits uniform *spacing* of *studs*, the above *spacing* was adopted to conform to the 6 in. spacing of the deck ribs and.... Likewise, the *studs* were *spaced* in pairs with a closer *spacing*.
(AISC コードを使えば，スタッドは一定の間隔になるが，6 インチ間隔の橋床の横ばりに位置するよう，上に述べた間隔が採用された。同様に，スタッドはさらに狭い間隔で 2 つ 1 組になって付けられた)

(155) *Thermoelectric power* is additive with respect to thermocouple materials; therefore, the *thermoelectric power* can be calculated for any two materials if values for the *thermoelectric power* of each of the materials referenced to a third material are available.
(熱電能は熱電対の材料に関して相加的であるので，3 番目の材料に関するそれぞれの材料の熱電能の値が求められていて利用できれば，どんな 2 つの材料でもその熱電能を計算することができる)

(156) The *audio frequency* from the microphone is pictured above, the *radio frequency* below. One half cycle of the audio frequency increases the radio frequency ; the other half cycle decreases it, [One of them is positive, the other negative.] The *audio frequency*, therefore "extends" and "squeezes" the *radio frequency*, as if it were the bellows of an accordion.
(マイクロホンからの可聴周波数を上に，無線周波数を下に描いた。可聴周波数の一方の半サイクルで無線周波数を増加させ，もう一方の半サイクルで減少させる。[一方が正で，他方が負である]。それゆえ，可聴周波数は，ちょうど，アコーディオンのじゃばらのように無線周波数を「伸縮」させる)

(157) The stream will oscillate *back and forth* as the sound waves travel *back and forth*.

（音波が前後に動くように，その流れも前後に振動する）

(158) Certain chemical changes are now known to *take place* in the end gas before detonation *takes place* and time is required for these to occur.

（爆発が起こる前に，エンド・ガスにある種の化学変化が起こることが現在では知られている。この変化が起こるには時間がかかる）

(159) *The path of the missile* depends on more than the speed and direction with which it is launched. From the moment the missile leaves the ground it is pulled by gravity, blown by the wind, held back by air resistance, and turned by the rotation of the earth. All these factors must be taken into account when *the path of the missile* is calculated.

（ミサイルの軌道は，打ち上げる速度と方向以上のものに影響される。ミサイルが地上を離れるや，引力に引かれ，風に吹かれ，空気の抵抗によって抑制され，地球の自転により方向が変えられる。ミサイルの軌道を計算するときには，これらすべての要因を考慮しなければならない）

例文(154)は，いたずらに spacing の繰り返しがなされているようだ。後半の spaced，spacing までくると別の構文で書けないものかと思いたくなる。だが，実際には，この種の用法が多い。(155)は keyword の thermoelectric power の繰り返しであり，(156)も異なる2つの keyword，つまり audio frequency と radio frequency をそれぞれ3回繰り返して表現を正確にしている。(157)は副詞句，back and forth の繰返し。(158)は *takes place* 句動詞の繰り返して，(156)，(157)と同様に，印象を強くしている。(159)は他の名詞との混同を防ぐために，離れても，わざわざ the path of the missile を繰り返した例である。

(160) The *driver* transistor *drives* the Class B output ....

（励振トランジスターは Class B 出力を励振する）

科学・技術分野の英語には，動詞に -er，-or をつけて道具名や機械名を表わすものが多いので，例文(160)のように，同一文中にこのような関係をもつ語の重複は避けられないだろう。そして，これが逆に理解を早める要因となるときもある。この種のものに次のような例がある。

(161) a) *Clean* the room with the *cleaner*.（クリーナーで部屋を掃除せよ）

b) *Dust* insecticide with the *duster*.（ダスターで殺虫剤を散布せよ）

c) *Fasten* the covers with the *fasteners*.（ファスナーでカバーを留めよ）

d) *Mix* ingredients with a *mixer*.（ミキサーで原料をかき混ぜよ）

e) *Open* the can with the *opener*.（かん切りで缶を開けよ）

-er，-or のつかないものもある。

(162) a) *Hook* it with *hooks*.（ホックでそれを留めよ）

b) *Solder* the pieces with the *solder*.（ハンダでその小片を付けよ）

c) *Wedge* the stump with the *wedge*.（切り株にくさびを入れよ）

(161 a, b, c) と (162 a, b, c) は with 以下を省略して，動詞と目的語だけで十分理解できる。むしろ無いほうが自然といえよう。「名詞の動詞化」(§3.3) 参照。

不注意による繰り返しは，書き終わったら音読することにより相当防げるが，重複を避けたい一心から，常に決まった形で用いられる専門用語を書き換えてはならない。

しかし，次例のような of の多用は，構文に工夫が欲しい。

(163) The amount *of* loss *of* steepness *of* the edge *of* a pulse determines how wide the input pulses must be to obtain adequate output pulses and also how far apart adjacent input pulses must be to avoid adjacent output pulses running together too much.

（パルス・エッジの急峻度の損失量は，十分な出力パルスを得るために，どれだけ入力パルス幅が広くなければならないか，また，出力隣接パルスが重なり過ぎないために入力隣接パルスがどの位，隔たっていなければならないか，を決定する）

The amount *of* loss *of* steepness *of* the edge *of* a pulse は，The loss amount of a pulse edge steepness に書き換えても内容は変わらないだろう。

3.7.10 筆者を表わす(人称代)名詞

格式語 (formal) が中心の科学・技術関係の論文やレポートなどでは,「筆者」を表わすとき, I が良いとか, I では強すぎるので we にすべきだとか, 自分を表面に出さない the author が良いとか, 客観的な印象を与えるため受動態が良いかとか, さまざまな意見がある。

これらの意見をまとめてみると, 次のようになる。

① 人称代名詞 I を使う

② Editorial we を使う

③ the author を使う

④ One believes that .... のように, 三人称の one や It is believed that .... の構文を使う

⑤ 論文などの頭書では this paper [article] を使う

上記の 5 つの表現の相違を考察してみよう。①人称代名詞 I は, 親しみやすく, 口語体 (informal) で, 何となく, リラックスな雰囲気をかもし出すため, 学術的な論文には適さないとか, 自己が強く表現されるため, 自己本位 (egoistical) になると考えられている。また, 主題よりも筆者に注意を集中させることにもなりうるし, I の繰返しは読み手から好感を失う原因ともなる。「能動態か受動態か」(§15.2) を参照。

②の Editorial we は, 新聞の社説などで I を避けて客観的な印象を与える用法である。自分を表面に出すことを避けて, 親しみや謙遜を表わすが,「筆者が 1 人」か「筆者が複数」か「筆者と読者」がはっきりしないときがある。読者を筆者の立場なり, 考えになり引き込むのには便利な語である。会社や党派などを代表して発表したものは, たとえ研究者が 1 人でも we を使うことが多い。自分も, 自分の属している会社などの人々も同意見であることを暗示するためである。もちろん, the/our company を使っても良いが, いきなり最初から使うのは文書では避けて, この語に先立って正式な社名を表わさなければならない。格式ばった論文などでは, I や We を避けて This paper とか This article で書いた方が良い。

(164) In more recent adaptation of this technique, including the movements of the eyeball *we* have developed in *my* laboratory at the California Institute of Technology, the mirror is mounted on a contact lens.

(カリフォルニア工科大学の私の実験室で開発した眼球の動きを含んだこの技術のもっと新しい応用では，その鏡はコンタクト・レンズの上に乗せられる)

(165) At first *we* thought this might be accidental interference from radio transmitters or electrical machinery in the vicinity of telescope.

(最初は，望遠鏡近くに設置されている無線送信機か電気機器からの偶発的な妨害かもしれないと思った)

(166) At this point *we* must look at how the WTS operates when a potential donor dies, for it is here that the two modes interact.

(潜在的な供給者が死亡したとき，WTS (World Tissue Service [組織移植世界サー ビス]) の活動はどうかを，この点で調べてみなければならない。2 者の様式が相互に作用するのは，このときだからである)

(164) は my から研究者は単数と思い，we を筆者 1 人と考えるのは早計である。内容から，読者を引き入れた we とは考えられないので my colleague(s) and I か the equipment and I のことだろう。この my を our にすると，読者は my colleague(s) and I と考えざるを得ないので，ここでは，それと区別している。we は曲者で，一緒に働いている外国人が Are you free this afternoon?(午後はおひまですか)と質問したのに対して，自分の会社では会議があることをいうのに No, we have a meeting this afternoon. (午後，会議があります) と答えると，この外国人も会議に参加することになる。we を I にすれば，この外国人は会議に関係がなくなる。

(165) は，例文が短いので確定的なことはこれだけでは言えないが，本文では単数である。会社を代表しているとも理解できるし，(164) と同様 the equipment and I ともとれる。機械を使っていると，使用者は1人でも we を使うことが多い。(166) は明らかに読者を含めた we である。

(167) *This article* reports the experiments with coal tar.
（本論文では，コールタールを用いた実験を報告する）

(168) *This paper* describes a new method of coefficient of friction measurement.
（本論文では，摩擦係数の新しい測定法について述べた）

(167) (168) は論文で頻出する This article ... と This paper ... である。前者は専門誌などに未記載の内容の論文の場合に，後者は，専門誌などにすでに記載された内容の論文の場合に用いるとのことと言われているが，明確な区別はないようである。しかし，学生の論文では article が好ましい。Today's paper covers interesting articles.［今日の新聞では面白い記事が載っている）から判断しても paper の方が article より範囲が広いようだ。

3.7.11 代示の we と注意点

we が会社，官庁などを表わすか，それらの中の department，あるいは section を表わすかの問題もあるが，あい昧なときは We (International Business Machines, Inc.) とか We (Maintenance Section) のように表記するのを勧める。会社名 (略称も含む) は単数扱いが普通で，代名詞も it で受ける。We，they なども実際には使われるが，内容を変える恐れがなければ，いずれを用いても良いだろう。取扱説明書などでは，ユーザーと親密感を表す意図から圧倒的に we が用いられている。しかし，We can repair the head assembly when broken. (ヘッド・アッセンブリーが壊れたときは修理できます) では，we なるが故に，この会社で [あるいは会社の修理人は] 修理できることになる。次例では their を使っているが，自社の機械の使用法を説明するのであれば，our にしたほうが良いし，「お買い上げの」のことなら your である。their では「新しい操作者が使用している計算機」の意味になろう。

(169) *Our company* will teach your new operators how to use *their* figuring machines.

(当社は，当社の計算機のご使用方法を貴社の新しい操作者にお教えします)

いきなり Our company で文を始めるのは好ましくない。

筆者が単数の we は，現在では次第に姿を消しているようである。the author は formal で，間接的で無色であるため好まれるが，読者に impersonal な印象を与えるのは避けられない。同一論文中に別の author がいると不明確になるので注意を要する。頻度は少ないが this writer，the present writer なども同様に考えられる。

(170) *This author* has no knowledge of price with respect to these foreign computers.

(筆者は，これらの外国製のコンピューターについては価格を全然知らない)

(171) *The author's company* has a continuing operational requirement for approximately 30 portable microwave radio relay systems.

(筆者の会社では，約 30 のポータブル型マイクロ波無線中継方式を絶えず作動させておく必要がある)

次例は，科学・技術分野の論文などに頻出するので参考までに述べる。

(172) *The author* wishes to thank the following authors and publishers for permission to quote from copyright material.

(筆者は版権のあるものからの引用をお許し下さった，次の著者と出版社にお礼申し上げます)

(173) *The writer* wishes to acknowledge his considerable debt to Mr. Smith.

(筆者はスミス氏のご厚情に感謝します)

(174) *The present writer* confesses that had he been asked these questions seven or eight years ago, he would probably have said No to both.

(実は，もし筆者がこのような質問を 7，8 年前に受けたとすると，その両方に否と答えたであろう)

3.7.12 one; my thought; It seems to me that .... に注意

one は一般的な人称と間違えられ易いし，I think .... や I seem .... のかわりに My thought is .... や It seems to me that .... の形も多用されているが，率直性も，何の効果もなく，無用な場合が多い。論文などで「思って」は駄目である。 It is believed that .... では I believe that .... のことにならないし，It is my opinion that .... では，何故 My opinion is .... と書かないかと読者が不機嫌になるだろう。I believe that .... の形を避けたいとすれば The author believes that .... しか残らなくなる。

論文でも，今では，one は避けた方が良い。特に，カタログや説明書類では old-fashioned だから避けた方が良い。次例参照。

(175) When *one* feels *one* is not getting the shave *one* wants, or if *one's* shaver feels "dull", follow simple instructions below to change blades.
(思うように剃れないとか, かみそりが「切れない気がしたら, 次のような簡単な方法で刃を交換してください)

この例では, 説明書の中のインストラクション(指示文), つまり, 使用者に対する文だから，one は we でも拙く，you（お買あげ；ご使用中）である。one's は your にする。

(176) *One* should depress the springs on the underside of the head assembly.
(ヘッド・アッセンブリー下側についているスプリングを押すべきである)

このような文は，提案書でなく使用者に対する指示文 (instruction) だから，

Depress the springs on the underside of the head assembly. と命令文にする。インストラクションでは one も you も we も不可。命令文が普通である。

3.7.13 人称代名詞 I とその消去法

論文に用いる「筆者」を表わす人称代名詞 "I" や "we" について，Weisman の *Basic Technical Writing* には，次のような皮肉めいた説明が

してあるが，同感である。

Some publications and organizations have a specific policy forbidding the use of "I" or "we." In writing for such a publication or organization, live with their rules until you have achieved the position and skill of a Thomas Huxley.

(出版物や団体の中には独特な方針を打ち立てて，"I" か "we" の使用を禁止しているところがある。そのようなものに書くときは，トマス・ハックスリー［(1825-95) イギリスの自然科学者。ダーウィンの生物進化論の強力な支持者として有名］のような地位と技量に到達するまで，その規則に則った方が良い)

実際には，次のような例もあるが "I" の多用で弁解がましい。

(177) For the omission of these subjects I make no apologies. I have included what I felt needed to be included and omitted what I felt did not need to be included.

(このような項目を省略したことに筆者は何ら弁解しない。筆者は書く必要があると思 ったことを書き，書く必要がないと思ったことは省いたのである)

以上の結論として，"I" は個人の意見を述べる標準形であるが多用すると見苦しくなるので，適宜，構文で工夫すべきだろう。

次の和文 (178 a) に対して，"I" を用いて表現した英文 (178b) とその改良例 (178c) を示す。

(178a) 「本論文では，工作機械に制御コンピューターを取り付ける方法を中心に，ごく最近開発したシステムの中から主な実例をあげることにする」

(178b) In this report *I* describe an application of control computers to machine tools. *I* have taken most of my illustrations from a system which *I* developed most recently.

(178c) This report is based on a study of an application of control computers to machine tools. Most of illustrations have been taken from my system most recently developed.

この英文から，(178c) が，論文として適切とあることが理解できよう。

3.7.14 筆者の省略とあい昧性

本文は筆者が書いているのは当然なので，「筆者」なる語を用いなくても，済む場合が実際には多い。次例では矢印の文に書き換えることができる。

(179 a) I show a simplification of the layout in Fig. 7.

→ Fig. 7 shows/is a simplification of the layout. (図 7 は，その設計を簡単にしたも のである)

→ Fig. 7 simplifies the layout. が簡潔で良い。

(179 b) When I started the test, I connected the gas

→ At the beginning/start of the test, the gas pipes were connected. (試験の始めに，ガス管をつないだ)

しかし，これらの書き換えられた英文は，行為者がわからない時があるから注意する必要がある (「能動態か受動態か」(§15.2) 参照)。

次のような文は行為者 (doer) がはっきりしないので論理的には，まずい文になる。矢印の文方が的確で良い。

(180 a) A continuous data-recording system has been applied.

→ The author has/I have applied a continuous data recording system. (連続的なデータ記録方式を採用してきた)

(180 b) Various tests were performed.

→ The author/I performed various tests. (いろいろな試験が行なわれた)

3.7.15 無用な I/we think....

日本人好みの I think/seem, etc. that.... などは，すでに述べたように「思っても仕方がない」ので論文などでは，使用を注意をした方が良い。次例でも無意味なので削除した方が良い。

(181 a) *I think that* the first method is inferior to the second one.

（最初の方法は，2 番目のものより劣ると思う）

(181 b) *I think that* the instrument will be good for ten years.

（その機械は 10 年は使用に耐えると思う）

(181 c) *I don't think that* copper will be smelted from its ore like iron.

（銅は鉄のように，その鉱石から精錬されないと思う）

→ Copper will probably not be smelted from its ore like iron.

3.7.16 論理から外れる主語

次の和文の英訳も，それぞれ論理的におかしい。

(182 a)「当社は工業分野視察のためアメリカに行った。」

(182 b) *Our company* left for the U.S. on a tour of the industrial inspection.

Our company を Our President（当社の社長）とか Our deputy manager（副部長）のように，人を表わす英語に代えねばならない。自動翻訳では充分に注意する必要がある。

(183 a)「筆者が，その時，国際音響学会の議長だった。」

(183 b) *We* chaired the International Congress of Acoustics at that time.

「筆者」だから，自動的に We としたと思うが，「議長」は一人だから I か The author にすべきである。

3.7.17 筆者を示す用語の統一

同じ論文中では I を使ったら最後まで I に，the author を使ったら最後まで the author（代名詞は he）に統一をとるべきである。従って，次のような場合には特に注意しなければならない。

(184) In this paper, *the author* would like to present a pressure bar method of tensile testing which, *we* feel, avoids the difficulties mentioned above and is of the same accuracy as the compression test.

（本論文で筆者は，上に述べた困難が避けられ，圧縮テストと同じくらい正確であると思える圧縮棒を使った張力試験の方法について述べてみたい）

このような場合の we は，すでに述べたように，前後関係で判断が必要になる。ここでは読者も引き入れている。we feel は削除したい。

3.7.18 内部文書の I，公文書の We

論文などで「筆者」を表わす代名詞についての概要は以上だが，二，三補足する。

例外的なものでなく，内部的な報告書，記録，手紙などで，個人対個人の場合は，あくまでも I を用いるべきである。次の例文は I が効果がある。

(185) The essence of the system, *I* take it, is that it is both stabilized and power control. What *I* need to understand most—and what *I* don't get from the booklet—is how the servo stabilizing system can eliminate undesirable motion without interfering with desirable motion.

(安定装置を施し，動力制御をしてあることが，そのシステムの真髄だと思います。いちばん理解する必要があることは[その小冊子から理解できない点]，サーボ安定方式が望ましい動きを妨げないで，望ましくない動きをどうして除去できるかということです)

ただし，公的なものは，手紙や報告書などであっても we が多く用いられる。次例も米国の会社から受け取った手紙である。

(186) *We* are glad to inform you of the following machines order placed with us, and which *our* customer here has indicated will be shipped to the ultimate user and destination noted below:

(次の機械を受注したことをお知らせいたします。当地の得意先によりますと，下記仕向地の最終ユーザーへ出荷されます)

3.7.19 社名を用いる場合

社名を用いる場合の多い論文，説明書，カタログなどでは，full name を繰り返すのは避けるべきで，2 度目からは短縮形などを用いるのが普通である。例えば，National Aeronautics and Space Administration (米航空宇宙局) は NASA (あるいは the Administration

か the administration[前者が良い]), Hughes Aircraft Company (ヒューズ航空機会社) は the Company (あるいは Hughes など) か the company [前者が良い], USAF Wright Air Development Division (米ライト空軍開発師団) は the Division, The National Inventors Council (米発明家協議会) は the Council のようにである。省略した語の語頭は大文字で始めた方が良いが，前述しないで突然 The Company とか Our company で始めないことである。

突然 the Canal とか the Lakes のように大文字で始めると，読者を惑わすことがある。ある特定なものを指すからである。ちなみに，普通は the Canal は Panama Canal で，the Lakes は Great Lakes，あるいは the Lake District のことになる。いずれにしても，省略した形で始めないことである。

4. 動 詞

One-sentence・one-idea という考え方

短文が好ましいという考えは是正して欲しい。
一つの文に，あれもこれもと，いくつもの事柄を盛り込むと，主要概念が把握できなくなり，読み手は混乱する。そこで,「一文一概念」に徹して文を構成することを勧める。だからと言って，実験結果を報告する場合は別として，論文などで内容を説明するとき短文で構成すると，内容の把握が困難になる。

例えば，The air cools off at night. The surface of the rock contracts.（夜，空気が冷える。岩石の表面は収縮する）の両文は，文法は正しくても，両者の関係が理解できない。そこで，原因・結果の書き方を修得している人は When the air cools of at night, the surface of the rocks contracts. と書くだろう。この文は，when で構成されている文だから口語体 (colloquial style) である。従って，高校生の論文では認められても，大学生以上は，次のような文語体 (literary style) の文にするのを勧める。

The air cooling off at night contracts the surface of the rocks.

詳しくは，本書の関係代名詞の項や『ICT 時代の英語コミュニケーション：基本ルール』参照。

4.1 動詞の文型

主語の動作や状態を述べ，その叙述を助ける語が動詞であるが，他動詞と自動詞用法，動詞の文型には絶えず注意しなければならない。

I want you to visit his laboratory. (彼の研究所を訪問してほしい)

が正しい英語だからといって，I suggest you to visit his laboratory は認められない。

I suggest (that) you (should) visit his laboratory. が正しい。'remember + -ing' と「remember + to 不定詞」や 'stop + -ing' と「stop + to 不定詞」では，それぞれ内容が違う。従って，英文を読み書きするには，動詞の文型を動詞ごとに一つずつ心得ていなければならない。自信がないときは，信頼できる辞書で調べることを勧める。Hornby の *A Guide to Patterns and Usage in English* も参考になる。

4.2 慣用的動詞

「注射をさす」とはいわないで「打つ」といい,「油を打つ」とはいわないで「さす」という。「ビームが原子を打つ」もおかしい。「ビームが原子に当たる」(The beam strikes an atom.) である。「ねじ」は「回す」,「クラッチ」は「切る，離す」,「ブレーキ」は「踏む，かける」が慣用的に用いられる動詞である。「碁は打つ」ものであり,「将棋はさす」ものと昔から決まっている。このように，ほとんどすべての名詞に結合する動詞は慣用的に決まっているが，科学・技術英文では特に顕著で，これを誤ると物笑いだけではすまされない。内容が異なり，コミュニケーションすら出来なくなる。日本語では,「将棋をする」「注射をする」「意見が違う」でも教養の差が表れる程度で, 内容は理解できる。しかし，英語では内容が変わるので理解できないときが多い。英語では collocation（連語 [関係]）という。

次に，日本語の「圧力」という名詞に，慣用的に用いられている動詞を，英語の pressure と連語 [関係] にある動詞をあげてみた。

(1) a.「圧力を) 加える」

Pressure *is applied*.

b.「圧力が) 増す」

Pressure *increases*.

c.「圧力が) ぬける」

Pressure *is released*.

d.「圧力が) 生じる」

Pressure *is produced*.

e.「圧力が) 測定される」

Pressure *is measured*.

これらの動詞が普通に連結するのであって，はっきりしなければ，英英辞典などで確かめねばならない。

次のような動詞は，口語が中心のカタログや（取扱）説明書の宣伝部分には良いが，文語が中心の機械部分の説明や，論文，公用レポート，仕様書などには適さない。つまり，会話には良いが，堅苦しい科学・技術英文では名詞に対して適切に連結する動詞とは言えないのである。

(2) Tall buildings are *going up* in Japan.
（日本では高層ビルが建てられている）

(3) The material was *done up* neatly in paper.
（材料は紙できちんと包装された）

(4) The battery on the *car ran* down.
（自動車のバッテリーがあがってしまった）

(2) の going up は being erected, (3) の done up は wrapped，(4) の ran down は was discharged が適切である。この点からいえば，Basic English は科学・技術英文には向かないことが分かろう。

動詞に注意しながら，次の日本文を英語で表現してみよう。

(5) 液体を加熱せよ。

(6) 時計の時間を調整せよ。

(7) これらの小滴は気化する。

(8) エンジンの出力が落ちた。

(9) カムシャフトの位置がブロックの一方へ寄っている。

(5) の「加熱する」は heat であるから，*Heat* the liquid. となる。

(6) は Adjust the time of the watch. では困る。the time という名詞に adjust という動詞には結びつかない。*Regulate* the watch. が正しい。

(7) の「気化する」は vaporize だから，These droplets *vaporize*. で良い。

(8) の「落ちる」は fall や drop でも分かるが decrease が良い。そこで The output of the engine (has) decreased. となる。

(9) の「寄っている」には相当な自信家も頭を使うだろうが，英語は簡単で place や position で良い。The camshaft is placed/positioned to one side of the block. となろう。

4.3 単一動詞の多用

動詞句は文体を決める重要な要素である。科学・技術分野の英文は，(取扱)説明書やカタログの一部を除いて文語体が中心のため，口語的や俗語的色彩の強い動詞句は姿を消し，単一動詞(simple verb)で表現される傾向が強い。その多くはラテン系の語であるため堅苦しく，比喩的な意味の表出を抑えている。正確性が科学・技術英文では重要な要素である。率直で日常的な単語や，綴字の短い単語の使用を勧めている参考書もあるが，論文が会話表現に陥らないよう注意が肝要である。科学・技術分野のカタログ，(取扱)説明書，仕様書などでさえも，動詞句の使用を極力抑えて準専門語的な動詞を用いる傾向が強い。専門家以外の人を対象にした取扱説明書から二，三の例をあげてみよう。

(10) *Remove* cap from valve by *applying* downward fingertip *pressure* and turning counterclockwise.
(指先に力を入れて下方へ押し，左へ回しながらキャップをバルブから取り外しなさい)

(11) *Release* cap *located* at the bottom of the box.
(そのボックスの底についているキャップを緩(ゆる)めなさい)

なお，ここで用いている動詞には「助動詞・本動詞結合(shall go, can run, have taken, have been taken など)」は，含まれないことをお断りしておく。

4.3.1 不適切な句動詞

動詞句の中でも「動詞・副詞結合(verb-adverb combination)」は，一語一意(one-word・one-meaning)ではなく，様々な内容を伝達する。一例として go for を考えてみよう。

(12) Shall I *go for* a doctor? (医者を呼びに行きましょうか)

(13) The dog *went for* me as soon as I opened the gate. (門を開けるや，犬は私に飛びかかった)

(14) What I said about him *goes for* you too. (彼について話したことは，君にも当てはまる)

(15) This book *went for* $50. (この本は 50 ドルで売れた)

(16) Who will you *go for*? (誰に投票しますか)

(17) He always *goes for* the office boy. (彼はいつも雑用係を叱る)

この他にも多々あるが，一つの語句 go for に，このように多くの意味があっては，口語調・文語調に関係なく科学・技術英文では不適切である。参考までに，格式ばった科学・技術英文に向く語で言い換えると

(12) → fetch，(13) → attacked，(14) → is applicable/can be applied to，(15) → was sold at，(16) → vote for，(17) → scolds となろう。

4.3.2 「動詞 + 副詞」を単一動詞で

この結合の多くは，アングロサクソン系単音節の平易な動詞に見られ，それと類似の意味を表わすロマンス系多音節とは著しい対照をなす。

(18) The cost of this punching was *eliminated* by a new stud-welding technique.

(新しく考案された植込ボルト溶接法により，この打ち込みにかかる費用は除去された)

(19) Both sound and picture would be *transmitted* from the area.

(音も映像もその地域から送られるだろう)

(20) The Soviet Union *launched* their first sputnik in 1957.

(ソ連が 1957 年に, 最初の人工衛星スプートニクを打ち上げた)

(21) The magnetic drum is a cylinder that *rotates* at a constant speed, the outer surface of which is coated with a magnetic material.

(磁気ドラムは一定速度で回転する円筒で，その外面には磁気材料が塗ってある)

(22) If you are listening to a football game, a voice-override may say sharply: "*Accelerate* to 90."

(フットボールの試合を聞いていても，放送の声に重なって「90 まで加速せよ」とはっきり聞こえるだろう)

これらを参考までに動詞・副詞結合で言い換えると，

(18) → taken/cut out，(19) → sent out，(20) → sent off [sputnik が小文字で始まっているがこれについては「固有名詞や商標の普通名詞化」(§2.1.4) 参照]，(21) → goes round，(22) → Speed up となろう。

次に動詞句を科学・技術英文で多用される単一動詞で書き換えてみよう。

(23) The arm *turns* the unit *round*. → The arm *rotates* the unit.
(アームの作用でその部分が回転する)

(24) *Take* the screw *away*. → *Remove* the screw. (ネジをはずせ)

(25) Heated water *gives off* steam. → Heated water *emits* steam. (熱した水は蒸気を出す) 或いは Heated water *evaporates*.

(26) Iron is quickly *eaten away* by exposure to the air. → Iron is quickly *corroded* by exposure to the air
(鉄は空気に曝(さら)されるとすぐに腐食する)

科学・技術英文では，以下に列挙する矢印の語を好む傾向が強い。

(27) 科学・技術英文で好まれる単一動詞 (1)

ask for → request
blow out → extinguish
blow up → inflate
break down → collapse
bring up → introduce
call for → demand
come in → enter
cut down → diminish
cut out → eliminate
deal out → distribute
fall off → diminish
gather up → collect
go over → examine
go through → penetrate

keep up → maintain

light up → illuminate

look on → regard

look into → investigate

make out → distinguish

make up → compensate; constitute

pick up → acquire

put back → restore

put off → postpone

put out → extinguish

send forth → dispatch

speak of → mention

stand by → support

take up → assume

try out → experiment

wear out → exhaust

catch up with → overtake

do away with → abolish; remove

fall in with → accept

get on with → harmonize

get through with → cultivate; finish

go over to → join

keep on with → continue

put up with → endure; tolerate

4.3.3 「動詞＋副詞」の名詞化

科学・技術分野には「動詞・副詞」結合が名詞化されたものも多い。単一動詞を名詞に用いようとする傾向があるから，この現象も不思議ではない。breakdown ([絶縁物の] 破風分解)，feedback (フィードバック)，lead-in (引き込み)，pickup (ピックアップ)，stand-by (スタンドバイ)；待機信号)など多数あり，単一動詞が名詞化した例には discharge (放電，放流)，drive (駆動；励振)，delay (遅延)，feed (給電)，shunt (分路；転轍器)など多数ある。

4.3.4 「他動詞 + 名詞 + 前置詞」を単一動詞で

本来的意味に影響されて，名詞はその独立性が弱まるものが多い。矢印の語になる傾向が強い。

(28) 科学・技術英文で好まれる単一動詞 (2)

get rid of → eliminate

find fault with → criticize

find the answer to → solve

let fresh air into → ventilate

make nothing of → ignore

make full use of → exploit

set fire to → ignite

take the air out of → evacuate; visualize

なお，think much of や turn into vapor のような句も，それぞれ esteem, evaporate のように1語になる傾向が強い。以上を参考にして，次の和文を英語で表現してみよう。

(29)「ロケットはリモート・コントロールで点火された。」

The rocket was *ignited* by remote control.

(30)「その回路は無視できる。」

The circuit can be *ignored*.

(31)「貴重な鉱物資源が開発された。」

Valuable mineral resources have been *exploited*.

(32)「その液体は試験管の中で蒸発した。」

The liquid was *evaporated* in the test tube.

4.3.5 「動詞十副詞句」を単一動詞で

日常頻繁に用いられる「動詞 + 副詞句」が，綴字の長い，堅苦しい単一動詞に変わる傾向か強い。従って，語数も著しく減る。一般に矢印の文になる。

(33) *Go twice* as fast. → *Double* the speed.（速度を2倍にせよ）

(34) He made the car *go in the opposite direction*. → He *reversed* the direction of the car.

（彼は反対の方向に自動車を走らせた）

(35) The lever was *put back to its original position*. → The lever was *restored*.

（レバーは元の位置に戻った）

4.3.6 「become/make+形容詞」を単一動詞で

become/make greater を expand, become/make smaller を diminish のように単一動詞で表現する傾向も強いが，make something soft のような「make+名詞+形容詞」の構文も，soften something のように形容詞に接尾辞 -en をつけて表現する傾向が強い。

(36) 科学・技術英文で好まれる単一動詞 (3)

become/make broad → broaden

become/make deep → deepen

become/make fast → fasten

become/make long → lengthen

become/make loose → loosen

become/make moist → moisten

become/make short → shorten

become/make tight → tighten

become/make wide → widen

これらを参考にして，次の和文を英語で表現してみよう。

(37)「プレート上の試料を数滴の硝酸で湿(しめ)しなさい」

Moisten the sample on the plate with a few drops of nitric acid.

(38)「機械のネジが緩(ゆる)んでいた」

A screw was *loosened* on the unit.

「動詞+名詞/形容詞」を単一動詞で表現する場合も多い。

(39) Pushbutton switch S2 resets the circuit by *discharging* C when pressed.
(押しボタン・スイッチ S2 が押されると，C を放電することによりスイッチ S2 は回路をリセットする)

discharge は lose/give up a charge of electricity を 1 語で表現したもの。以下の矢印の動詞が好まれる傾向にある。

(40) 科学「技術英文で好まれる単一動詞 (4)

become dull → tarnish

form ice → freeze

keep safe → protect

make easy → facilitate

set free → release

以上のように，科学・技術英文は説明的な句を極力避けて，1 語で済ませる傾向が強い。

4.3.7 接尾辞 / 接頭辞を付けて単一動詞で

形容詞に -en がついて動詞になることはすでに述べた。動詞の語尾であるラテン系の接尾辞 -ate，-fy，ギリシャ系の接尾辞 -ise，-ize の語も 1 語で表現する。

4.3.7.1 接尾辞 -ate

accelerate, actuate, captivate, compensate, illuminate, isolate, motivate, etc.

(41)「部屋は 12 個の白熱灯で照明されていた」

The room was *illuminated* by a dozen incandescent lights.

[light up でなく illuminate]

(42)「スプリングの力でレバーが動く」

The spring *actuates* the lever.

[put the lever into action でなく actuate the lever]

4.3.7.2 接尾辞 -fy

amplify, classify, electrify, emulsify, gasify, liquefy, rectify, simplify, etc.

(43)「この真空管は回路(2)だけを整流する」

The vacuum tube *rectifies* only circuit (2).

[change an AC into a DC でなく rectify]

(44)「一酸化炭素は容易に液化しない」

Carbon monoxide is *liquefied* with difficulty.

[make liquid でなく liquefy]

4.3.7.3 接尾辞 -ize

alkalize, computerize, crystallize, galvanize, liquidize, magnetize, sterilize, vaporize, etc. [-ise は英国式]

(45)「その産業は電算機化されている」

The industry has been *computerized*.

[be automated by computers → be computerized]

(46)「鉄が磁化すると電気抵抗は増す」

When iron is *magnetized*, its electrical resistivity is increased,

[magnetic properties are given to iron でなく is magnetized]

4.3.7.4 接頭辞 en-

encase, enchain, encircle, enclose, enflame, enlarge, enmesh, enrich, ensure, etc.

このような接頭辞の en- (他に em-, il, in-, ir- など) も表現の簡易化を助長する。

(47)「ビンのラベルによると，果汁はビタミン C で強化されている」

The label on the bottle indicates that the fruit juice is *enriched* with vitamin C.

[make rich でなく enrich or fortify]

動詞句の中には，単一動詞をとらないものもあるから注意。

(48) An automatic sequential digital computer, if it is to be able to *deal with* large computations, needs a store of large capacity.
(大きい計算を扱うことができるようにするには，自動逐次呼び出しデジタルコンピューターは大きい容量の記憶装置を必要とする)

(49) The section manager *called* him *up* (by telephone) (課長は彼を電話で呼び出した)

(50) The device *printed out* this graph. (その装置はこのグラフを書き出した)

(51) Both plates were *connected up with* an assistance of an automatic machine. (両プレートは，自動機械の手を借りて接合された)

4.4 常套語

しばしば外見だけに終わる場合が多いのだが，科学・技術英文は文体にいたずらに堅苦しさを添えようとしてか，ラテン語から派生したシラブルの多い語や，いわゆる尊大語（pompous word）が多い。論文などでは掉尾文(periodic sentence) [《修辞》いくつかの節が複雑に結合してできた複文で，文尾に至って初めて文章が完成する] が中心になっているのも一因であろう。従って，proceed を意味する go や require を意味する take などを論文中で捜すのは大変である。begin より commence とか initiate，get より obtain とか secure，show より demonstrate とか exhibit，use より utilize を使うことや，機械は自動的に仕事を does するのではなく conducts する，The iron cores were *extracted* instead of being *pulled out*. で，全く息詰まるほどである。科学・技術英文がいかに独特の用語に影響されているかが理解できよう。以上から，常に short syllable の語を使用すべきだとは言わないが，読者層を考えて，その選択に注意する必要があろう。矢印の語に代わる傾向が強い。

(52) 科学・技術英文の常套語　(1)

burn → inflame [burning → combustion]

change → alter; convert; replace; shift; transform

fix → arrange; fasten; repair

gather → assemble

get → acquire; obtain; secure

have → equip (with); furnish (with); install (with)

hook → engage

join → contact

leave → remain

light → illuminate

make → construct; generate; produce

pass → transfer

place; put → locate; mount

run → operate

search → investigate

see → discover; notice

shake → vibrate

show → demonstrate ; illustrate; indicate; register

space → distribute

stop → impede; obstruct

touch → contact

try → attempt

turn → curve; pivot; revolve; rotate

use → utilize

want → require

write → describe

なお，次のような説明的な語句も 1 語になる場合が多いが，多くは専門用語か準専門用語である。

(53) 科学・技術英文の常套語　(2)

catch fire easily → inflame

make easy → facilitate

move backward and forward in a straight line → reciprocate

swing from side to side → oscillate

(do) not work → be defective

4.5 不必要な動詞

主節，従属節を問わず一文中に動詞が 2 つ以上あれば，それらが本当に必要か否か，いずれか 1 つは削除できないかをチェックする必要がある。等位接続詞 and で 2 つ以上の動詞を結合しているときは特に注意すべきである。この現象は，日本文を英訳するときに多く現われる。ちょっと注意すれば気付くことであり，日本文に惑(まど)わされないようにしてほしい。主なケースをあげてみよう。

(54)「ノブを押して入れなさい」

Press and *push in* the knob.

すぐ気付くように press と push in は同じ意味に用いられるので Press and を削除して，Push in だけで文を始めれば良い。

(55)「磁石のような物は，互いに引き合うか反発し合うことが知られている」

Certain bodies, like magnet, *is known* to attract or repel one another.

既定の事実だから，通常，is known は不要，代わりに習性の will を使って，will attract とする。

(56)「データは一本の紙テープに，平行な 5 行のチャネルとして表わされ，穿孔される」

Data is *shown* to and punched in five parallel channels along the length of a paper tape.

日本文には「表わされる」とあるが全然意味のない動詞で，英文では不要で，Data is is punched in … で良い。

(57)「新しいモデルでは，データが自動的にカード上に出て，表になる」

The new model will *appear and* list the data automatically on a card.

or

The new model will *present and* list the data automatically on a card.

初めの文は appear を他動詞としているので間違い。appear and を消去すれば良い。後の英文も present and を削除して The new model will list .... で良い。

(58)「コンピュータの内部では，データはトランジスター，磁気コアなどのような多くの電子機器で扱われ，処理される」

In the computers, data is *dealt with and* handled by many electronic components: transistors, magnetic cores and so on.

この文も dealt with and を削除して data is handled by とする。

(59)「空気をシリンダーへ入れようとする外力は，ピストンの下降運動中に働き，処理される」

The external force to persuade the air to enter the cylinder is conducted *and handled* through the downward motion of the piston.

この文も and handled を削除して,「働いて処理される」を conduct 1語で表わせる。つまり，the cylinder is conducted through で良い。

(60)「浸出液から金属を回収する 3 番目の重要な方法は，電気エネルギーを用いて行なわれる」

The third important method for recovering metal from a leach solution is *performed* to use electrical energy.

日本文の「用いて行なわれる」につられて perform が無意識に出たものである。is performed to を削除して uses だけにする。つまり，...a leach solution uses electric energy で良い。

(61)「ディストリビューターの駆動系により，ギア・タイプのポンプを駆動し，燃料計量装置へ高圧で燃料を送る」

The distributor drive *makes* a gear-type pump operate and fuel supply at high pressure to the fuel meter.

いたずらに「make+ 目的語 + 動詞」構文は用いないほうが良い。特に，語の次に他動詞が来ているときは，この他動詞を make の位置に置いたほうがすっきりすることが多い。この文は ...drive operates a gear-type pump and supplies fuel at.... が良い。

4.6 あい昧な動詞

ある名詞に付く動詞は慣用によりほとんど決まっていること，つまり相性 (collocation) は，すでに述べた。しかし，慣用的に用いられても内容があい昧な動詞があるので，適切な語を選ばなければならない。

(62) The electric fan is *going*. (扇風機が回っている)

この文からは，首を振っているのか，単に，回っているのか明らかでない。首を振っているのであれば *going* を oscillating とする。

(63) The elevator is not *working*. (エレベーターは動いていない)

故障中か，あるいは，1 階などに止まっているのかはっきりしない。故障ならば is not *working* を has failed にするし，点検などのために止まっているのであれば is not in service にする。

(64) The team *worked* on the device.

よく work を「研究する」の意味で使う人がいるが，この文は，

- 「そのチームはその装置について研究した」
- 「そのチームはその装置を使って研究した」
- 「そのチームはその装置を使って仕事をした」

のような内容になる。work は，あい昧だから studied か experimented か labored などから適切なものを選べば良い。

(65) The type of control program *picked up* depends on how much computing power is needed.
(どのような制御プログラムを選択するかは，どれ位の計算能力を必要とするかによる)

picked up は selected のほうが明確で良い。

(66) Simplify storage, retrieval, and maintenance of all data, regardless of the way it is *formed*.
(データの編成に関係なく，すべてのデータの記憶，取り出し，維持を簡素化せよ)

formed より organized のほうが明確で良い。なお，it is の it は data だから，they are が良い。

(67) This report *deals with* the crystalline structure of solids.

（このレポートは個体の結晶構造を扱っている）

deal with や is concerned with などがよく用いられるが，analyzes や explains などが良い。

(68) We will have to *fix* the machine on the floor.

この文からは，

・「機械を床に取り付けなければならないだろう」

・「機械を床の上で修理しなければならないだろう」

の 2 通りが考えられる。*fix* を install か repair に替えねばならない。

(69) The stopper *is made up* of three pieces, two of which are *fastened* firmly on the ends of the shaft.

（ストッパーは 3 片からなり，うち 2 片はシャフトの先端にしっかり止められている）

fastened があい昧。screwed か riveted か，あるいは welded か soldered か明確にしなければならない。made up は composed がよい。

(70) As the current passes, both the anode and some of the metallic impurities it *holds* dissolve into electrolyte.

（電流が通ると，陽極とそれが保持する金属性の不純物のいくらかは，電解液に溶けだす）

hold の状態があい昧。contains にする。

(71) We have *covered* some of the basic ideas and techniques used in the extraction of metals.

（これまで，金具を取り出すときに用いられる基本的な考え方と技法のいくつかをあげてきた）

cover のような動詞は多用されているが，あい昧だから科学・技術英文では，もっと明確な study か explain か，あるいは analyze のような動詞が望ましい。used in the extraction of metals も used を削除して in extracting metals が文字数の節約になる。

5. 助動詞

不変の真理，つまり，ある事象が絶対に（100%）起こる本動詞の補助として用いられるのが助動詞である。そのため，微妙な内容を表わすので，その使用は慎重でなければならない。特に，科学・技術分野では，助動詞の正確な意味を把握していなければ，正しい和訳や英訳は到底望めない。

ここでは主要助動詞の中から，科学・技術文で特に注意すべきものを取り上げて説明する。

Auxiliary Verbs の意味

～だろう	～ねばならない	～に違いない（推量）
can（能力）（できる） will (99%) may (49%) could (2-3%) would (2-3%) might (2-3%)	shall（決意） must（必ず） have to（義務） had better（脅迫） ought to（イギリス） should（提案）	must（必ず） should（データから判断） may (49%) can (about 2-3%)

頻出する助動詞をこの表に挙げて，実際の意味を説明したので，これから，それぞれを詳述する。

5.1 shall

5.1.1 契約の shall

科学・技術文では契約の shall が大切で，契約書 (contract) や仕様書 (specification) などでは，助動詞のほとんどを shall が占めている言える。shall を使っていて債務 (obligation) を履行しないと契約不履行 (breach of contract) で損害賠償 (damages) を要求されることになる。

(1) The contacts shall be the self-cleaning type and *shall* require no adjustment during the life of the switch.

（接点は自己清浄式であるものとし，スイッチの耐用寿命中，調

整の必要のないものとする）

(2) The total movement *shall* be no greater than 0.031 inches under a force of 20 pounds.

（全体の動きは，20 ポンドの力のもとで 0.031 インチよりも大きくないものとする）

なお，この shall も発注者が自らのことを言及するときは will にかわるのが普通だが，第 3 者である立会人 (witness) が介入しているときは，すべて shall となる。

(3) Master samples *will* be manufactured by the Purchaser at the time of granting laboratory approval.

（原型見本は，研究所の許可を得た時点で発注者が製造するものとする）

(4) Test information *will* be furnished upon request.

（試験のデータは，要求あり次第供給するものとする）

(3)，(4) の文は，will を用いているので，発注者が製作者 / 受注者に対して行なうことが明らかである。will が shall であれば，製作者 / 受注者が発注者に対する要求することになる。

スペックのこの shall も同じ社内間，あるいは，法律で規制する必要のない関係にある会社間では must に代ったり，命令文になることが多い。

(3) The motor *must* have 14.0 volts applied to its terminals and *must* be parked once every six minutes for a period of 3 to 7 seconds.

（モーターのターミナルーは 14.0 ボルトの電圧をかけ，6 分ごとに 3-7 秒間モーターを止めること）

(4) No water *must* enter the gearbox at the output shaft.

（出力軸の歯車箱に水が入ってはならない）

(5) *Operate* the assembly on a life tester for a total of 1,000 hours at 150℉ ambient temperature.

(150℉ の周囲温度で合計 1,000 時間，寿命試験器を使ってアッセンブリーを運転せよ）

(6) *Change* from low speed to high speed every 180 minutes of running.
(180分ごとに低速から高速へ変えよ)

5.1.2 無意味な shall

次のような shall は，意味がないから用いないほうが良い。

(9) This specification *shall* cover the detail requirements for style A rotary switches.
(本仕様書は "A" ロータリー・スイッチに対する詳細な要求事項を包含するものなり)

(10) A dynamometer *shall* be an instrument which *shall* impose a torque load on the meter assembly output shaft, provide specified voltages, maintain specified ambient temperatures, and be capable of measuring the voltage, current, output torque and speed of the motor.
(動力計とは，メーターの出力軸にトルク負荷を課し，規定電圧を供給し，規定の周囲温度を維持し，モーターの電圧，電流，出力トルクとスピードが測定できる装置である)

以上の shall は，法的に何ら規制する必要のない，決まっていることや，定義の文中に用いられているため不要である。

5.2 should

5.2.1 提案

提案や当然の義務を表わすのに should も ought to も用いるが，科学・技術文では ought to はあまり用いられない。

「そのスタータは取り外してはならない」を You *should* not remove the starter は口頭なら良いだろうが改まった文，つまり文語ではまずい。You should.... では「君は…すべきでない，他の人は良い」ことにもなるので，Do not remove the starter. が普通である。should を用いた英文の多くが命令文になるし，そのほうが自然なことが多い。どのような場合に should を用いるべきだろうか。

(11) Lightly grease the worm wheel and bearing surfaces with Shell SB. 2628 grease, but grease *should* not be applied to the metal pinion.
(ウオーム・ホイールとベアリングの表面には Shell SB.2628 グリスを軽く塗(ぬ)りなさい。しかし，金属のピニオンにはグリスを塗ってはならない)

(12) Any fine adjustment necessary *should* be made by moving the adjuster.
(必要な微調整は，調整器を動かして行なうべきである)

(13) The magnetism *should* be reduced until the lowest possible speedometer reading is obtained.
(スピードメーターに最低値が得られるまで，磁性を減少させるべきである)

以上の例から分かるように，「A は…をこうすべきである」「B は…をこうすべきである」のように主題を一つ一つ提案して，その主題は「こうすべきだ」というときに should を用いることが多い。提案の should といえよう。そうでなければ，should を削除して，次のように命令文にしたほうが良い。なお，must，ought to，should の順で内容が弱くなる。「Auxiliary verbs の意味」参照。

(11') Lightly grease…, but do not apply grease to the metal pinion.

(12') Make any fine adjustment necessary by moving the adjuster.

(13') Reduce the magnetism until the lowest possible speedometer reading is obtained.

5.2.2 推量

「(…すれば) …のはずである」の意味に用いられることが多い。つまり，推量，可能性を連想させ，期待の should ともいえる。

(14) Check speedometer reading and if the instrument is functioning correctly the pointer *should* read 60 mph.
(スピードメーターの目盛を点検せよ。正常ならば，針は 60 mph を指しているはずである)

(15) Check the end play again. A second nylon washer and a spring clip

should now be properly fitted to the spindle.

（エンド・プレーを再点検せよ。もう一つのナイロンのワッシャーとばね挟みは，ここで，スピンドルときちんと合うはずである）

5.3 will

5.3.1 意志

主語が無生物の場合にも用いられ，主語の意志を表わす。否定文に用いられることが多く，「どうしても…ない」の意味を表わす。

(16) The engine *will* not start.（エンジンがどうしてもかからない）

(17) This material *will* not burn.（この材料はどうしても燃えない）

5.3.2 習性，習慣

この用法は多く，頻繁に繰り返される。再発が予測される事柄に用いる。

(18) A magnet *will* point north and south.（磁石は南北を指す）

willがないと，いかなる場合でも，つまり，針が動かない状態であっても，磁石は南北を指すことになる。習性の will である。

(19) As necessary, the computer *will* refer to the memory unit for instructions or for results of previous work.

（必要に応じて，コンピューターは，命令か前の仕事の結果を求めて記憶装置に問い合わせる）

故障などのときは refer to できないので will が生きてくる。

5.3.3 能力

日本文からいちばん思いつかない用法で，この意味では can とほとんど同じだが，can には絶対できる意味合いが強いのに，will は概算の受容力を表わす。

(20) The back seat *will* hold three passengers.

（後部座席には 3 人座れます）

この文で will がなければ，横幅を問わず，誰でも 3 人座れることになる。次例も同じ。

(21) Our new automobiles *will* run 200 kph.
(当社の新車は，毎時 200 キロで走れる)

このwill hold，will run は can hold，can run，is capable of holding，are capable of running，has a capacity of holding，have a capacity of running などに書き換え可能。しかし，すでに述べたように，will との微妙な相違に注意した方が良い。

5.3.4 可能性

「ありそうなこと」(probability) や現在の推量を表わし，科学・技術文以外でもよく用いられる。

It *will* be snowing on the mountain now. の will で It is probably snowing on the mountain now. (山は今は雪だろう) と書換え可能。本来の意味を含んでいない。

(22) The miniature equipment *will* not emit as much heat.
(小型化した機械は，大きい機械ほどは熱を出さないだろう)

(23) Sound waves moving in the same direction as the train *will* reach anyone standing to the front of the train with the normal speed of sound plus the speed of the vehicle.
(列車と同じ方向に進んでいる音波は，音の通常の速度プラス列車の速度で，列車の前に立っている人に達するだろう)

この will reach も probably reach (es) に書き換え可能。

5.4 can

日本語の「…できる」に対して，機械的に can を使わないことを注意したい。例えば，「箱根へ行けば，新鮮な空気が満喫できる」を When we go to Hakone, we *can* enjoy the fresh air. は不可である。「…を満喫できる」の「できる」は，次に述べる能力を意味しない。従って，we will enjoy ... である。この文は In Hakone we will enjoy .... が簡潔で良

い (§8.6.5) 参照)。

5.4.1 能力

あることが「できる」(ability) ことを示す *can* は，ごく普通に用いられる。

(24) The Paper Lock Scale *can* determine margin or tabulator settings.
(ペーパー・ロック・スケールは，マージンやタブレーターをセットする位置を決めるのに利用できる)

(25) Through the use of the nucleus initialization program, last-minute changes *can* be made to certain options specified during system generation.
(中核初期設定プログラムを使うと，システム生成間に決めたある種の任意機能への最終変更ができる)

will との相違については §5.3. 3 を参照されたい。be able to は現在時制の can や過去時制の could の意味があい昧なときに用いられる。

5.4.2 推量

「…のこともありある (may possibly; may perhaps)」を表わす。

(26) Rain water *can* add to pollution, too; it *can* even carry tin cans into the streams.
(雨水もまた汚染を増すことがある。つまり，ブリキ缶を小川へ流し込みさえすることがある)

(27) Locomotives carry a lot of sand which *can* be dropped on the tracks in front of the driving wheels to increase the friction between the wheels and the tracks.
(機関車は多くの砂を携えて，駆動輪の前の軌道に砂を落とすことがある。これにより，車輪と軌道間の摩擦が増すのである)

5.4.3 許可

ごく普通の用法で，「…してよろしい (permission)」を意味する。

Can I use your telephone? (あなたの電話を使ってよろしいですか) は *May* I use…? に対する口語的表現である。

なお，fail to は，cannot に比べて，論文などの堅い文に用いられる。

5.4.4 「can be+ 過去分詞 」を「be+ 形容詞 」で

This can be broken. を This is breakable.，This can be solved. を This is solvable. のように主要動詞にわざわざ接尾辞 -able/-ible をつけて「be+ 形容詞」で同一内容を伝達することを好む傾向がある。格式文になるので論文などで多用される。

(28) Engineering in this modern age is not *separable* from research.
(現代では，工学から調査を切り離すことはできない)

(29) It is also likely that the ratio between electrons and protons is *variable*.
(エレクトロンとプロトンの割合は変えられそうでもある)

(30) A variety of statistical information is *obtainable*.
(さまざまな統計学上の情報は得ることができる)

この種の例文は多いので，次に散見する単語を示す。

(31) adjustable, applicable, attachable, attainable, avoidable, changeable, controllable, disposable, expendable, extinguishable, extractable, flammable, flexible, measurable, movable, negligible, reducible, retractable, transferable, visible, washable

5.5 may

5.5.1 不確実な可能性

「…かもしれない / だろう」に may を使うと自信のないことを意味することになる。may が半分以下 (49% ほど）の可能性を表わす所以はこの辺にある。Failure *may* result. と Failure *may* not result は，It is not possible that failure results. (故障になるという可能性はない) と It is possible that failure does not result. (故障にならないという可能性がある) ということで，may と may not は，ほとんど同一の実質的内容を備えていると言える。

(32) An object *may* be 'at rest' but its molecules are in continuous motion.
(物体は静止しているかもしれないが，その分子は絶えず運動している)

(33) Your program *might* be too large to be in storage at one time.
(あなたのプログラムは大きすぎて，同時に記憶装置に入らない場合もあろう)

この意味で might は may の過去ではない。現在の「ありそうもない (improbability)」ことを表わす。つまり，might は 2-3% の可能性を表すということになる。It *might* be broken. (それは壊れるかもしれない) といえば「壊れそうもない」ことを副次的に示すのである。従って，科学・技術文には，あい昧だから，この意味の用法は極めて少ないと言えよう。

5.5.2 許可

「…して、よろしい」(permission) の意味で仕様書や契約書などに多い。この may に対応する否定表現は must not である。

(34) If the Contractor refuses or fails to remove and replace the inferior part(s) or to correct the defective work with in a time fixed by the Purchaser, the inferior part(s) *may* be removed and replaced and the defective work *may* be corrected by the Purchaser at the Contractor's expense.
(発注者の定めたときまでに受注者が不良部品の交換や欠陥作業を直すことを怠ったと きは，受注者の負担で，発注者が不良部品を取り外して交換し，欠陥作業を直して良いものとする)

しかし，さほど強制的でない禁止は may not で表わせる。

(35) In a typical prior art device of this type installed in a steering shaft, the key *may not* be returned from an unlocked position to a locked position.
(かじ取りシャフトに取り付けるこの種の先行技術の代表的な装置では，キーはロックされない位置からロックされる位置へ戻してはならない)

5.6 must

5.6.1 必要，必然

「必要 (necessity)」を表わす。§5.2.1 の should と同様，You *must* adjust this machine as follows: … (この機械は次のように調整しなければならない) では，You must ... では相手に義務感を与えることになり大変失礼な文である。日本文が「…しなければならない」となっていても，命令文で始めると良い。この文も Adjust this machine as follows: …. が無難。must は絶対にそうあらねばならない義務を意味するので，提案の should よりも意味が強い。

(36) To obtain strain-hardening characteristics to very high strain values, some form of compression test *must* be used.
(非常に大きなひずみ値に対して，ひずみ硬化特性を得るには，なんらかの形の圧縮テストを用いねばならない)

(37) As rolling takes place, the rolls are themselves distorted elastically over the arc of contact with the material and this distortion *must* be allowed for in the calculation of the roll force and torque.
(圧延が起こると，ロール自身も材料との接触弧上で弾性的に変形するので , この変形は圧延荷重や圧延トルクを計算するときに考慮に入れねばならない)

この must の未来は will have to で表わし，過去は had to，あるいは must have+ 過去分詞で表わすことは，ここで説明するまでもなかろう。なお, 現在で must のかわりに have to を用いることがあるが, must は自分の都合，have to は相手の都合を暗示する。

must は格式ばった論文などでは「require ＋動詞 ing」で表現されることが多い。先の You must adjust this machine…. は，論文などでは This machine *requires adjusting*/to be adjusted. になる。The hole must be oiled. (注油穴に注油しなければならない) も The hole *requires oiling*/to be oiled が良い。

5.6.2 必然的推測，推量

「…に違いない，きっと…するだろう」(It seems certain that….) と強い推量を意味する。否定は cannot (be) …. (…であるはずがない) を用いる。

(38) It *must* be obvious that this is a simple way of identifying elements.
(これは，元素を識別する簡単な方法であることが明らかになるに違いない)

(39) The velocity of the rolls *must* have some value between v1 and v2.
(ロールの速度は v1 と v2 の間の値を持つはずである)

5.7 可能性の will, may, can の相違

すでに，各項で説明したように，will は 99% の起こりうる可能性を示し，may は 49% 以下の可能性，can は純粋な可能性を示す。

Air pollution *will/may/can* make our clothes, buildings, etc. dirty (大気汚染により，衣服，建物などが汚れる) の文で，will ならば「99% 汚れる」ことであり，may ならば，自信のない不確実 (uncertainty) な可能性 [49% 以下の可能性] であり，can ならば have a probability of のことで，現実的な (actual) 可能性を示す。

日本文が「…であろう」「…と考えられる」となっていると機械的に may を使う人がいるが，科学・技術分野では特に注意しなければならない。

Glass *may* transmit light. と表現すれば，「ガラスが光を通すかどうか分かっていない」ことになる。

Never connect to DC as damage to the charger plug *may* result. ならば「壊れることがあるかもしれない」ことであり，may を will にすると「必ず壊れる」ことになる。

5.8 能力 / 可能性の can と may の相違

「…できる」の意味で can の代りに may を用いることがある。これは格式ばった論文などに多く，しばしば，受動態になる。

(40) The control program and most processors have a variety of optional features that *may* be selected for particular needs.

(制御プログラムとたいていのプロセッサーには，さまざまな任意選択機能が含まれており，それぞれの要求に合ったものを選択できる)

(41) This expression is applicable when the elastic strain in an analysis *may* be neglected.

(解析において弾性ひずみが省略できるときに，この式が利用できる)

6. 形容詞

形容詞の中には wooden のように絶えず名詞の前に限定的に置かれるものと，afraid のように動詞の後にしか置けないもの，sorry のように意味は異なるが，この両方の位置に置けるものとがある。つまり，形容詞には限定用法 (attributive use) と述語用法 (predicative use) とがある。前者は形容詞が直接に名詞や代名詞を修飾する用法であり，後者は形容詞が動詞の補語として主語や目的語を間接的に修飾する用法である。

6.1 常套語

すでに，名詞の常套語 (§3.1)，動詞の常套語 (§4.4) で述べたように形容詞にも常套語がある。「右回りの」には clockwise を，「左回りの」には counterclockwise を用いる。「内径の」には internal を用い from inside to inside では説明的なので論文などでは好ましくない。「交互の」も one after another では説明的だから，どうしても alternate，「往復の」も backward and forward では明確性を欠くので reciprocating が好ましい。従って，形容詞にも名詞や動詞と同じように専門用語と準専門用語が多数をあるといえよう。口語調が大部分を占める (取扱) 説明書などでさえも，clockwise や counterclockwise などが常用されている。矢印の語が格式語で多用されている。なお，矢印の語の副詞形も多用される。

(1) 科学・技術文で多用される形容詞

about → **approximate**

all; whole → **entire**

beginning → **initial**

best → **optimum**

chief → **principal**

crosswise → **transverse**

each → **respective**

enough → **adequate ; sufficient** [not enough → **negligible**]

everlasting → **perpetual**

far → **extreme**

handy → **convenient**

inner → **internal**

middle → **medium**

near → **adjacent**

outer → **external**

right → **accurate**

rough → **approximate**

round → **circular**

same → **equal**; **identical**

similar → **analogous**; **corresponding**

still → **stable**; **stationary**; **steady**

usual; ordinary → **conventional**

too great は excessive になり，at regular intervals とか the air around the earth のような説明的な phrase は，それぞれ periodical，atmosphere のように 1 語になる傾向が強い。しかし，a large amount of scattered data（非常に多くのばらばらのデータ）を an *immense* amount of scattered data とか an *immense* scattered data とするのは少し行き過ぎである。

以上のほかに，口頭での *secondhand* machine が，文中では *rebuilt* machine と *reconditioned* machine のように，体裁を繕うためから，言い換えられる語もある。

6.2 他動詞を「(be+) 形容詞 +of」で

動詞で簡潔に表現できるのに，わざわざその動詞の形容詞形に前置詞を添えた文型を使うことがある。

(2) Inaccuracy *produces* error. → Inaccuracy is *productive of* error.（不正確は誤りのもと）

(3) The theory *deserves* considering. → The theory is *deserving of* considering.（その理論は一考に値する）

(4) Success of our experiments *depends on* your assistance. → Success of our experiment is *dependent upon* your assistance. (実験の成否は君の助力にかかっている).

論文などでは格式表現を好むので，各文例の後に書き直した形容詞中心の文型が用いられる傾向が強いが，簡潔を旨とするカタログや(取扱)説明書などでは，動詞中心の文型のほうが良い。

6.3 あい昧な形容詞

形容詞の大部分が性質形容詞 (qualifying adjective) に属し，性質や状態を表わす。そこで，自分では分かっているつもりでも，程度の差が人によって異なり，あい昧な文になることがある。主観により内容に相違をきたしては困るので，具体的で明確な表現が必要となる。a large ball といっても，バスケットボールのボールくらいか，ピンポンの球くらいか，はっきりしないので，具体的に「直径 10 センチのボール」(a ball with a diameter of 10 cm; a ball 10 cm in diameter) のように表現する必要がある。a few, appreciable, considerable, enormous, great, long, moderate などもあい昧な形容詞である。

(5) The great advantage of explosive forming over other methods lies in its ability to produce large or very complex shapes to *very small* tolerances, with little or no need for after-machining.
(爆発成形が他の方法よりもずっと優れているのは，成形後の機械加工をほとんど，あるいは，全然必要としないで，非常に小さい公差で，大きいものか，非常に複雑な形のものを 製作できることにある)

イタリック体以外の great，large，very などは，この文では，このままでもさほど問題はないが，イタリック体の very small は判然としない。… shapes to tolerances *as close as 0.003 in.*, with little… のようにすると明確になる。

(6) The most refractory material we use is carbon, with an *extremely high* melting point.

(今使用しているたいていの耐火材料は炭素で，その融点は非常に高い)

この文でも with 以下を with a melting point of 3500℃ のようにするとはっきりする。

あい昧な形容詞の代表は some, several, a few だろう。「いくつかの装置」「多くの装置」を英語で表現させると，きまって several devices, many devices と英語にするが，日本語は数に対する概念もあい昧だが，果たして，これらの語は大体いくつくらいの数を表わすのだろうか。英米の辞書から判断すると some>a few であり，several ≧ 3 ということになるが，some も a few も several も同じに扱っている辞書もある(A. S. Hornby et al.: *The Advanced Learner's Dictionary of Current English*).

このような語はあい昧なので，科学・技術英文を書くときは，できる限り具体的に表現するよう努力すべきだろう。しかし，このようなあい昧な語を故意に用いて，かえって効果があがることもあるので，いずれが良いかは，その時と場合で，各自の判断に委ねられるだろう。

6.4 形容詞の順序

名詞に付く形容詞および形容詞相当語句が 2 つ以上あるとき，その語順が問題になる。参考までに，ごく一般的な配列順序を述べると，

決定詞 → (性質などを表わす)強意の形容詞 → (大小，形状などの)主観的形容詞 → 新旧を表わす形容詞→ 色彩形容詞→ 分詞， 動名詞→形容詞用法の名詞 → 名詞

となる。しかし，これとて絶対的な法則ではない。

次に一応の基本的な順序を説明しよう。もし，判断がつかなければ，名詞との結びつきの強い語を近くに置くのが安全だろう。

6.4.1 all, both

all both	+	定冠詞 指示形容詞 人称代名詞 所有格 (代) 名詞 数詞	+	名詞

注〉**all** が数詞に先行する。

(7) all the boxes; all these boxes; all his boxes; all Johnson's boxes; all six boxes; both the boxes; both these boxes; both his boxes; both Johnson's boxes

6.4.2 「other+ 名詞」に先行する形容詞

all any every no some	+	other	+	名詞

(8) all other boxes; any other boxes; every other box; no other boxes; some other boxes

6.4.3 冠詞，不定代名詞，指示代名詞，人称代名詞などの順序

① 冠詞 : a, an, the

② 不定代名詞 : all, another, any, each, every, no, other, some

③ 指示代名詞 : that, this, these, those

④ 人称代名詞 : her, his, its, my, our, their, your

これら① - ③のいずれか 1 つが名詞に付くと，次の順序になる。

⑤ ① - ③ + 名詞 +of+ ④の独立所有格

(9) an iron of yours (あなたのアイロン) [*cf*. your iron] ; every product of yours [your every product, every your product は不可] ; this computer of yours [this your computer は不可]

6.4.4 -body, -thing の後

これらで終わる不定代名詞を修飾するときは，後に来る。

(10) somebody laborious, something new

6.4.5 最上級 + 名詞 + 形容詞

この構文では -able, -ibis の付く形容詞が多用される。なお，最上級のほかに all, every, maximum, minimum なども用いることができる。

(11) the highest output *obtainable* (求め得る最高の産出量), the lowest temperature *attainable* (得られる最低温度), maximum cost *possible* (できる限り最大の費用), the greatest purity *possible* (できる限り高い純度)

なお , the sum *total* (総計), the experiment *above* (上述の実験) のような慣用語もある。

6.4.6 性質，形状，色彩などを表わす形容詞の配列

一般に，次の配列順序をとる。(8.4 参照 .)

決定詞 (など)+ 性質 (など)+ 形状 (など)+ 色彩 + 名詞または動名詞 + 名詞

(12) a) a very {valuable / old} big gold watch

b) a useful large brown memory unit (有用な大きい褐色の記憶装置)

6.5 形容詞と and

2 つ，あるいは，それ以上の形容詞が名詞の前に置かれても，終りの 2 つが色を表わす語でなければ and を使わない : the warm, humid

indoor air (暖かくて, 湿っぽい室内の空気)

(13) ・a large, heavy box (大きくて重い箱)

・a clear, quiet day (晴れた静かな日)

・a large flat pan (大きくて平たい皿)

・a special narrow nozzle (細長い特殊なノズル)

・natural high polymer (天然高分子 (物質))

・ a black and white film (白黒フィルム)

・a blue, yellow, and white pole (青，黄，白に塗られた棒)

しかし，2つあるいは，それ以上の形容詞が be 動詞，seem, appear, look などの後に来るときは and を入れるのが原則である。

(14) Manual methods are slow, inaccurate *and* expensive.

(手を使う方法を用いると遅く，不正確で，費用もかかる)

(15) It is possible to produce materials which look like wool, silk, velvet *and* fur, though they are often cheaper. In addition they are very practical, easy to wash, need no ironing.

(安いことが多いが，羊毛，綿，ビロード，毛皮のように見える材料を作ることができる。更に，これらは非常に実用的で，洗濯が容易であり，アイロンをかける必要がない)

6.6 不合理な比較

形容詞，副詞の中には比較できないものがあったり，more, most, -er, -est を付けることの許されないものがある。 more perfect か more nearly perfect とか，いうような比較の問題がよく論議されたことがある。 E. Partridge の *Usage and Abusage* には，絶対的な意味を持っている語には nearly とか almost とか not quite は使えるが，more/most infinite/perfect/simultaneous/unique とはいえず，次の語にも more, most による比較は起こらないと説明している。主なものを拾ってみよう。

(16) absolute (絶対的の)，basic (基本的な)，certain (確かな)，chief (主要な)，comparative (比較の)，complete (完全な)，crystal-clear (透明な)，empty (空 (から) の)，entire (完全な)，essential (欠くべから

ざる), excellent (卓越した), fundamental (基本的な), ideal(理想の), immaculate (汚れのない), incomparable (比較できない), infinite (無 限の), maim (主要な), obvious (明らかな), perfect (完全な), possible (可能な), primary (主要な, 第一の), principal (首位の, 主な), pure (純粋な), simultaneous (同時の), sufficient (充分な), ultimate (終局的な), unendurable (堪えられない), universal (万能の)

同書中に記載されていないが, 科学・技術分野で次のような形容詞が多用されている。

(17) cylindrical (円筒の), circular (円形の), cubic (立方の), equal (等しい), hexagonal (6 角形の), perpendicular (垂直の), rectangular (長 4 角形の), round (円い), saturated (飽和した), square (正方形の, 直角の) などがある。

角 *A* が 89°59'58" で角 *B* が 89° 59'58" とすると, Is angle *A* squarer than angle *B* ? といえるだろうか。*A*, *B* とも square でないから厳密には許されないだろう。Evans は *A Dictionary of Contemporary American Usage* で This is squarer than that. | Make them more equal. | This is more accurate. This is most singular を認めている。そして more unique, more complete と教育のある人が口にするからこそ, このような問題が生じていると説明している。結局 Partridge も同書の説明の最後でカッコを設け「すぐれたアメリカの文法家の多くは, 私よりこの用法に寛容である。非論理的なものもあれば, そうでないものもある。これらのほとんどが, ときどき, 立派な作品に見出される」と結んでいる。言葉には流動性がある。これらの説明を待つまでもなく, 論議される段階では, その形はすでに用いられていると解して良い。実際に, この種の問題に遭遇したなら, あまり考え過ぎないで more nearly とか nearer to などを用いれば, まず, 安全といえよう。

(18) Circle *A* is *more nearly round* than circle *B*.

(円 A は円 B より真円に近い)

(19) Angle *A* is *nearer to square* than angle *B*.

(角 A は角 B より直角に近い)

7. 副詞

7.1 常套語

名詞，動詞，形容詞などに常套語が多いように副詞にも常套語が多い。口語では fully，quite，very などだが，論文などでは entirely，extremely，completely，considerably になる傾向が強い。次に主なものを列挙する。副詞の場合も，矢印の副詞がを多用されることが多い。

(1) 科学・技術文で常用される副詞

about; nearly → **approximately**

even → **uniformly**

finally → **eventually**

fully → **completely**

often → **frequently**

once → **formerly**

partly → **partially**

quite → **entirely**

sideway → **laterally**

soon → **shortly**

very → **extremely**

as an alternative → **alternatively**

as far as one can → **to one's utmost**

at once → **immediately**

at the same time → **simultaneously**

by hand → **manually**

in the same way → **similarly**

one after another → **in series**; **in succession**

on and off → **intermittently**

right away → **immediately**

so far → **up to the present**

to the opposite corner → **diagonally**; **obliquely**

この種の語句はきわめて多い。矢印の左右の語は，厳密には同一の内容や意味を表わしていないものもある。

7.2 不必要な副詞

形容詞や名詞の内容を強める修飾語がある。

(2) With the carriage moved to the *extreme* right margin, grasp the Top Cover in the center, lift up.

(キャレッジを最右端に動かしたままで，トップ・カバーの中央部をつかみ，上げよ)

(3) The *full* use of photocopying equipment ... (フォトコピー機械の十分な利用は～)

副詞に限定すると，程度を表わす副詞 (adverb of degree) といわれているものだが *completely* full revolution，*entirely* satisfactory，*extremely* accurately の形のイタリック体の語は，無意識に用いられていると思えるが蛇足である。しかし，次のような，文中のイタリック体は認めざるを得ないだろう。

(4) Research has created scores of to *totally* new plastic materials and products.

(研究により，全く新しいプラスチックの材料と製品が多数生まれた)

(5) … the *entirely* main stream will be bent in the direction of one of the out1ets.

(全主流が，放水口の 1 つの方向に曲げられるだろう)

(6) Place the tape under the card so that the last 1 on the *extremely* right is in the position of being scanned.

(最右端にある最後の 1 が走査される位置に来るようカードの下にテープを置きなさい)

一般に，次の語が乱用される傾向にあるので注意されたい (「余剰表現」(§17) 参照)。

(7) appreciably, comparatively, completely, considerably, entirely, extremely, fully, inevitably, necessarily, rather, relatively, somewhat, very

7.3 程度 / 様態の副詞の和訳法

badly, deadly, deeply, literally, materiallyなどを表面だけの字義にとらわれて，それぞれ「悪く」「死んだように」「深く」「文字通り」「物質的に」と訳すと辻褄が合わないことがよくある。そのようなときは「大変に」「非常に」「全く」などの訳語を与えると，すっきりすることが多い。

(8) The machine requires oiling *badly*.（その機械は大いに油をさす必要がある）

(9) Such an insecticide is *deadly* poisonous.（そのような殺虫剤は非常に毒がある）

(10) The poisons, at a level of two pounds per acre, were *literally* allowed to fall where they might.

(1エーカー当り2ポンドの割合で，その毒は全くあたりかまわず落ちてくることになった）

(11) The pressure has been *materially* reduced.（圧力はかなり減った）

7.4 接尾辞 -ly と -ly なしの副詞

clean, clear, close, direct, easy, fair, firm, high, large, quick, sharp, slow, soft, sound, tight, wideなどは，このままの形か，あるいは，接尾辞-lyを付けて副詞として用いられる。しかし，-lyが付くと意味の変わる語があるので注意。「直ぐ来てください」にCome quick!かCome quickly!かは慣用上の問題である。ただ，過去分詞や動詞の前では-lyの形が多く用いられる。過去分詞が名詞の前に形容詞となって置かれると，その分詞の前では-lyのない形が多い。

(12) Our pipes are made up of glass fibers *tightly* wound.

（当社のパイプは，ガラス繊維を固く巻いたもので構成されている）

Cf. Our pipes are made up of *tight*-wound glass fibers.

ただし, *tightly* pressed rings of hydrogen and helium gas （強く圧縮された水素とヘリウムガスの輪）

(13) We manufacture automobile engines *highly* powered.

(当社は，高出力の自動車エンジンを生産しております)

Cf. We manufacture high-powered automobile engines.

(14) Screw the nut *tight*. (ナットをきつく締めよ)

(15) We must *clearly* distinguish a hawk from a crow.

(タカとカラスを，はっきりと区別しなければならない)

この文は通常の形である。

なお，名詞中心の表現を好むため Adjust the machine perfectly. (機械を完全に調整せよ) を Make a perfect adjustment to the machine. とすることがあるが，長文になるので避けた方が良い。動詞形のある名詞は動詞で使う方が簡潔な文なり，好ましい。

7.5 副詞の位置

副詞をどこに置くかにより修飾する語句が変わり，文全体があい昧になることがある。原則として，修飾したい語句のできるだけ近くに置くのが安全である。私は「縁語接近の原則」といっている。

We investigated it *practically* three times.

では practically は，almost に近い意味で「われわれは，それを事実上 3 回調査した」のことになり，もし，「われわれは，それを実際に 3 回調査した」のことなら We *practically* investigated it three times. としなければならない。

次の文はどうだろう。

(16) a) The data will be delivered within a week *definitely*.

b) The data will be delivered *definitely* within a week.

c) The data will be *definitely* delivered within a week.

「そのデータは 1 週間以内に確実に送られるだろう」

なら「縁語接近の原則」で c) が良い。

特に only には注意する必要がある。

(17) a. *Only* I separate the element from copper.

b. I *only* separate the element from copper.

c. I separate *only* the element from copper.

d. I separate the element *only* from copper.

e. I separate the element from copper *only*.

(17a) は，「私だけ」と訳してもよさそうだが，only は，口頭では，調子により「だがしかし」という意味の接続詞もあるので，文頭はできる限り避けたほうが良い。I am the *only* one who separates....| Nobody else separate....|I alone separate.... などと書いた方が良い。

(I7b) は I only と続けてやや力を入れていうと「私だけ」となり，only が文全体を修飾すると考えれば「私はその元素を銅から分離するだけだ」となる。また (17c) と大差のないこともある。

(17c) は (17b) と同じときもあるが，「銅からその元素だけ分離する」ことも意味する。

(17d) は the element only のように，切り方によっては (17c) と同じにもなるし，only from copper と読めば「銅からだけ」のことになる。

(17e) は「銅だけから」か，文全体を修飾して separate にかかり「分離するだけだ」とも解せるので文尾には置かない方が良い。「縁語接近の原則」に従って，内容を理解することが大切である。

7.5.1 副詞 + 不定詞

(18) A computer must be given instructions *properly to work*.

の文では，副詞 properly が be given にかかり「適切に指示を与えねばならない」か，to work を修飾し「適切に作動させるには」なのか，あい昧である。 properly を文の最後に持ってくるか，to と work の間に入れるかすれば，to work を修飾することになり，はっきりする。原則としては，to work にかかる副詞であれば work の後に置くか to properly work のように to と動詞の間に入れるが，前者はイギリス英語であり，後者はアメリカ英語である。後者は分離不定詞 (split infinitive) といって嫌う人もいるが，表現が明確になる (「分離不定詞」(§14.5) 参照).

(19) One problem of bionics is to learn enough about living systems to *profitably* copy them in artificial systems.

（バイオニクスの1つの問題は，生きている体系を十分に研究し，それらを人工的体系に有益に写し替えることである）

7.5.2 様態の副詞

badly, kindly, quickly, slowly, well, wisely のような物事のあり方を説明する副詞は，動詞の目的語があれば，その後に，その他の場合は動詞の直後に置くのが普通である。動詞と目的語の間に置くことはない。場所を表わす副詞もだいたい同じに考えて良い。

(20) Light follows such a pipe very *closely*.
（光はそのようなパイプを非常に忠実に進んで行く）

(21) The pressure decreased *quickly*.（圧力は急激に減少した）

7.5.3 程度の副詞

almost, hardly, just, nearly, only, quite, scarcely, very などは，形容詞や他の副詞，動詞を修飾する時は，その前に置き，助動詞と一緒の時は，初めの助動詞の後に置く。

(22) The end is machined *very* cleanly.（端は非常にすっきりと機械で仕上げがしてある）

(23) The machine *hardly* requires oiling.（その機械はほとんど注油の必要がない）

(24) The device can *nearly* make holes.（その装置でどうやら穴を開けることができる）

enough は形容詞か副詞の後に置くのが普通である。

(25) The machine is heavy *enough*.（その機械は十分に重い）

(26) The computer prints out data quickly *enough*.
（コンピューターはデータを十分速く打ち出す）

7.5.4 時の副詞

時を意味する副詞は，動詞の後か文尾に置くのが普通だが，強調や対比のときには文頭に来る。一般に，時の副詞は文頭に来ることが多い。

(27) Many parts of a problem are worked on *simultaneously*.
(一つの問題の多くの部分が，同時に解かれる)

(28) The tool lasted *for ten years*.
(その道具は10年ももった)

(29) A problem that might take the human brain two years to solve can be solved by a computer *in one minute*.
(人間の頭脳では,2年もかかるかもしれない問題を,コンピューターでは1分で解くことができる)

(30) *Now* a variety of information is obtainable.
(現在では，さまざまな情報を得ることができる)

(31) *In 1946* there was just one electronic computer called ENIAC. *Today* there are more than 30,000.
(1946年にはENIAGと呼ばれるコンピューターが1台しかなかったが，今日では3万台以上もある)

still とyetは少し置く場所が異なる。stillは動詞の前に置かれるが，be動詞では後に来る。 yetは一般に文尾に置かれる。

(32) My camera *still* breaks. (私のカメラはまだ故障する)

(33) The plant is *still* in full operation. (その工場はまだ完全操業をしている)

yetは「今までのところでは，引き続いて今も」の意味であるが，おもに否定文と疑問文に用いられる。

(34) The watch has not worked *yet*.
(その時計は，まだ作動しない) [The watch has not yet worked. も可能]

(35) A severe earthquake will not happen *yet*.
(大きい地震は，今しばらく起こらないだろう)

(36) Haven't you fixed it *yet*? (それを，まだ直してないのですか)

7.5.5 頻度の副詞

always, ever, often, once, seldom, sometimes などの位置は，他の種類の副詞に比べて複雑である。便宜上 3 つのグループに分ける。

1) be 動詞の後に置く

(37) The analog computer is *generally* a more specialized device than a digital computer.
(アナログ・コンピューターは，一般に，デジタル・コンピューターより特殊な用途に適した装置である) [Generally the analog computer is.... も可能]

2) be 動詞以外の動詞では，その前に置く

(38) Water *always* holds a quantity of air in solution.
(水は常に一定量の空気を溶かしこんでいる) [Always water holds .... も可能]

3) 助動詞と共に用いられるときは最初の助動詞の後に置く

(39) Early digital computers were *generally* based on the decimal system.
(初期のデジタル・コンピューターは，一般に 10 進法に基づいていた)

(40) The dolphin is *usually* being studied by communications experts.
(イルカは，通例，通信の専門家により研究されている)

7.6 副詞が 2 個以上のときの順序

7.6.1 場所を表わす 2 つの副詞

一般に小さい区分語を先に置く。しかし，強調などのため逆になることもある。

(41) The experiment was performed *in our laboratory in Tokyo.*
(実験は東京の当研究所で行なわれた)

(42) The new plant will be built *at Kisarazu in Chiba.*
(新しい工場が千葉県の木更津に建設されます)

7.6.2 時を表わす 2 つの副詞

一般に小さい区分語を先に置く。しかし，強調などのため逆になることもある。

(43) The experiment will start *at two o'clock tomorrow*.
(その実験は明日 2 時に開始されます)

(44) *On January 31, 1958*, the United States placed the Explorer I in orbit.
(1958 年 1 月 31 日にアメリカ合衆国はエクスプローラー 1 号を軌道に乗せた)

7.6.3 場所の副詞と時の副詞

普通は，場所の副詞が先になる。

(45) Telstar was launched *at Cape Canaveral on December 13, 1962*.
(テレスターは 1962 年 12 月 13 日にケープ・キャナベラルから打ち上げられた)

(46) The plane made its first landing *at Honolulu the next morning*.
(その飛行機は翌朝ホノルルに最初に着陸した)

この語順は変ることがある。時の副詞が前に来ても，場所の副詞は一般に前に来ない。

(47) *On July 9, 1962*, the United States fired a large nuclear bomb *in space*.
(1962 年 7 月 9 日にアメリカ合衆国は，宇宙で大きな核爆弾を爆発させた)

7.6.4 場所 / 道具 / 頻度 / 時の副詞

一般に，「場所 + 道具 + 頻度 + 時」の順序になる。しかし，強調などのため，時の副詞を前に置くこともある。

(48) Polish the surface *with sandpaper several times a month*.
(表面は毎月数回紙やすりをかけなさい)

(49) The pawl rotates *clockwise around the shaft about ten times a minute*.
(爪(つめ)は，シャフトの周りを毎分約 10 回右へ回る)

(49) は *About ten times a minute* the pawl rotates clockwise around the shaft.

この文は *Around the shaft* the pawl rotates clockwise about ten times a minute. の語順も可能。

7.7 副詞と主語の倒置

強調のためとか，動作主を言いたくない場合などに，主語と副詞が倒置することがある。

(50) *After Lull's wheels* came concepts like the circles of John Venn.
（ラルの輪の後にジョン・ヴェンの円のような概念が現われた）

この文は Concepts like the circles of John Venn came *after Lull's wheels*. が普通の語順。

(51) *Only with accurate oscilloscopes* can we measure such tiny periods.
（正確なオシロスコープでしか，そのような小さな時間は測定できない）

この文は We can measure such tiny periods only with accurate oscilloscopes. が普通の語順。

(52) *Little* has been reported about the experiment.
（その実験については，ほとんど報告されていない）

この文は The experiment has *little* been reported. の否定語を前に出したためで，副詞ではなく名詞になっている。

(53) *Enough* has technology contributed to the existence of these problems.
（科学技術は，これらの問題の存在に十分貢献してきている）

この文は Technology has contributed *enough* to the existence of these problems. が普通の語順。

7.8 あい昧な forward

「ハンドルの前に座る」は sit behind the steering wheel なので，日英の表現の相違としてよく引き合いに出される。このような現象から，ある部分を「右へ動かせ」とか「左へ動かせ」と言うとき，対象物から見て右か，自分から見て右かに困惑することがある。この種の問題を解決するのに，次のような決まり文句が用いられている。

(54) The *left-hand* side of Eq. 12 can be expressed....

(方程式 12 の左辺は…と表わすことができる)

(55) A bit in the *right-hand* bulb has a decimal value of 1.

(向かって右側の電球におけるビットは，10 進法で 1 の値を持つ)

問題なのは，よく用いられる副詞 forward である。英和辞典は「前方へ，外へ」と説明してあり，英々辞典も同様であるが，逆に「手前へ」(rearward) と訳さないと内容に相違をきたす場合がある。対象物から見て「前方」のことであれば，人から見れば「手前」になることもあろう。この語が出現するので戸惑うことがある。

(56) Pull the lever *forward* to the locked position.

(ロックする位置までレバーを手前へ引け)

(57) The cover is released by pulling *forward* two latches hidden under the keyboard.

(キーボードの下に隠れている 2 本のかけがねを手前に引けば，カバーははずれる)

上の 2 例には pull があるから「手前へ」のことになる。キーボードの取扱説明書 (Instruction manual) に，次のような例もある。

(58) To return to the original writing line, push the Line Retainer *forward* to the normal position.

(元のライティング・ラインに戻すには，ライン・リテナーを通常の位置まで前方へ押せ)

この場合は push から明らかに「前方へ」のことになる。しかし，forward の内容がその前の動詞だけで決まると即断はできない。

(59) With improved "Magic" Margin all you need is: position the carriage, place your index finger behind the "Magic" Margin control and move it *forward*.

(改良された「マジック」マージンでは,キャレッジの位置を決め,「マジック」マージン・コントロールの後に人差し指をかけて，手前へ動かすだけで良い)

この場合の forward は，前置詞 behind により内容が決まる。

以上の例から forward は前後関係で判断しなければならないことが分かろう。次の (60) の例文では forward は必要である。

(60) The lead-screw drives the tool post *forward* along the carriage at the correct speed.
(親ネジは正しい速さで，キャレッジに沿って刃物台を前方へ駆動する)

8. 接続詞

文章の読み易さを左右するのに接続詞があるが，一文中に接続詞を何度も使って，文を重複させるのは避けたい。また，従属文をだらだらと続けると文の締りがなくなり，プロセスを順序正しく述べる科学・技術文には適さない。特に，仕様書や説明書などでは単文，つまり one-sentence・one-idea が提唱されている。接続詞は無視できないので，ここでは，間違って用いられたり，混同され易い接続詞を中心に説明する（関係代名詞については §9 参照）。

8.1 対等関係と対立関係

(1) My father went to the office.

(2) I went to school.

の 2 文を同等の重要性があるように接続詞で結合すると

(3) a) My father went to the office *and* I went to school.

b) My father went to the office *but* I went to school.

となる。これらの接続詞は等位接続詞と称されるもので，and や but の代わりに，as，because，if，though などの従位接続詞を用いると内容が変わったり，戸惑いを感じる文にもなる。そこで，接続詞の選定も注意しなければならない。

(4) When someone steps into the path of the ray, light cannot reach the electric eye.

(5) This starts the machinery for opening the door.

この両文を結ぶ接続詞は and がごく一般的で，but では対立関係が生じることになる。そして，次のように接続詞を用いて自然な文にできる。

(6) When someone steps into the path of the ray, light cannot reach the electric eye *and* this starts the machinery for opening the door.

（誰かが光線の中に足を踏み入れると，光は光電管に届かなくなり，ドアを開ける機械装置を始動させる）

次の文はどうだろう。

(7) The straight spur gears are the most commonly used type.

(8) Another type of spur gear, the helical spur gear, is also widely used.

この 2 文は，一種の対立関係にあるので，and よりはむしろ but が適切で，次のように結ぶことができる。

(9) The straight spur gear are the most commonly used type, *but* another type of spur gear, the helical spur gear, is also widely used.

(直刃平歯車が最も普通に用いられているタイプだが，もう一つのタイプの平歯車，つまり，はすば平歯車も広く用いられている)

but をもう少し弱くした感じのものに，while, on the contrary などがある。

(10) Wide-angle cameras cover about 650,000 square miles from an altitude of about 450 miles above the earth, *while* narrow-angle camera cover only 6,500 square miles.

(広角レンズを備えたカメラは，地上 450 マイルほどの高度から 65 万平方マイルほどを担当するが，望遠レンズを備えたカメラはわずか 6,500 平方マイルしか扱えない)

(11) Fuel was not abundant; *on the contrary*, it was running short.

(燃料は豊富でなかった。それどころか，だんだん不足してきていた)

しかし，内容により，but も and も認めることができる場合がある。

(12) The generators become motors, (　　　) the turbines become pumps.

(発電機がモーターになり，タービンがポンプになる)

このカッコ内には and, (;) , on the contrary, but などが入り，対立関係の一番強いのが but である。

8.2 理由の意味

理由を意味する接続詞は because, for, since, as が代表的で，この順に従属的に述べる理由が弱くなる。because は口語文で，一番よく使われる。not because, only because, mainly because, simply because のように用いることができる便利さがある。会話以外では Because people talk about rockets when they talk about exploring space. (なぜならば，人々が宇

宙探険の話しをするとき，ロケットの話しをするからである）のように because を文頭にした単独の文は誤りである。

for は主に文語文に使われ，通常は，文頭にもってこない。従って，

(13) *For* a diesel engine is a heat engine, it converts heat into mechanical energy.

（ディーゼル・エンジンは熱機関だから，熱を機械エネルギーに変える）

この文は For を Since か Because に換えれば良い。Since については (14) の説明を参照。

for は主文の付加的説明をする表現で，主文の動作 / 状態の直接の理由を説明するものではない。

(14) This oil may contain phosphorus, *for* phosphoric acid is in the residue.

（このオイルは，リンを含んでいるかもしれない。そのかすの中に亜リン酸があるから）

なお，for の前には，常にコンマを置くので注意されたい。since は文語調の文によく用いられ，文頭にも文尾にも置けるが，文頭に置くことが多い。科学・技術文では多用されている。

(15) *Since* rocket makes its own jet gases, it can operate out in space where there is not any air to push against.

（ロケットは自分の噴出ガスを作るので，推進させるための空気のない宇宙空間で作動できる）

(16) Outdoor venting is possible *since* the vacuum air is discharged through a single discharge pipe.

（電気掃除機からの空気は，1 本の吐き出しパイプから排出されるので，屋外との通気が可能である）

as は口語文で，理由を表わすのに使われる。文頭でも，文尾でも置ける。従って，文語調の論文などでは使用を避けた方が良い。口語調である説明書類でも，理由を表わす接合は since が多い。

(17) *As* all cylinders are alike, we can understand the entire engine if we study one cylinder.

（シリンダーは全部似ているので，1つ研究すれば，エンジン全体を理解できる）

(18) These radio waves are called the carrier waves *as* they carry the signal from the microphone with them.

（これらの電波は，マイクロホンから出る信号を運ぶので，搬送波と呼ばれている）

8.3 時の意味

注意すべきものを取り上げある。

(19)「インキがなくならないうちに，スペアをペンの前端に挿入しなさい」

の文も，なかなか英文にできない人が多い。

Insert the refill into the front end of the pen.

と和英辞典を利用して何とか英文にできても，「インキがなくならないうちに」を before the ink is *not* used up と直訳する人が多い。「ない」があるので not を使わないと気が済まないらしい。before は「…しないうちに」と否定的に使うことが多いのである。従って，次のように not を省く。

(20) Insert the refill into the front end of the pen *before* the ink is used up.

「10 数えてからそれを行ないなさい」

も from など用いないで Count ten *before* you do it. が普通である。この before の用法は科学・技術文では多用される。

(21)「圧力をぬいてから，バルブをはずしなさい」

この文も，まず Release the pressure，次に Remove the valve とプロセス順に表現して，この2文を接続詞 after で結合すると，Remove the valve after releasing the pressure. となる。この英文を読んだ人は，まず Remove the valve の行動をするに違いない。すると「圧が残っている」ので大変な事態が生じることになる。いたずらに after は使用しない方が良い。従って，時間順に述べると before を使って次の文になる。

(22) Release pressure *before* removing the valve.

次に，説明書からの一例を紹介しよう。

(23) Set the Temperature Control Knob, and allow it to get cold for an hour or so *before* you put food in or fill the ice cube trays.
（温度調節ノブをセットし，1時間ほどそれ（冷蔵庫の中）を冷たくしてから，食物を入れたり，製氷皿に氷を入れたりしてください）

主節が未来完了の場合は before が by the time に変わることが多い。

(24) This experiment will have finished *by the time* the new value is obtained.
（新しい値を得るまでには，この実験は終わってしまっているだろう）

時を表わす接続詞には，この他に，after, as, once, when, while, the moment, as soon as, directly, scarcely … when/before, hardly … before, no sooner … than などがある。

(25) *As soon as* the clutch is engaged, the brake is released.
（クラッチがかかると，ブレーキがはずれる）

(26) The current starts working immediately *as soon as* the battery is connected.
（バッテリーが接続されるや，電流は即座に仕事を始める）

as soon as や directly などは口語調で，この文語調が scarcely … when/before, hardly … before, no sooner … than, the moment などである。

しかし，the moment を除いて，これらの句は次の時制を取る。

(27) 主語 ＋ had ＋ {hardly / no sooner / scarcely} ＋ 過去分詞 … ＋ {before / than / when/before} ＋ 主語 ＋ 過去分詞

強調のため hardly，no sooner，scarcely が文頭に来るときは，次の語順をとる。

(28) {Hardly / No sooner / Scarcely} ＋ had ＋ 主語 ＋ 過去分詞 … ＋ {before / than / when/before} ＋ 主語 ＋ 過去分詞

しかし，これらの成句は文語調だから，口語調の説明書やカタログ類には，まず現れないだろう。

次に the moment の例を示す。

(28) The bell is so designed that *the moment* the clapper moves over to the electromagnet, it opens or breaks the electric circuit.
（クラッパーが電磁石の方へ動くや電気回路を開く，つまり，（回路を）切るようにベルは設計されている）［the moment that の形もある］

辞書には immediately も接続詞として用いられると説明しているが，英米の語法辞典を見ると，接続詞としての immediately は極力避けて，immediately after を用いるよう勧めている。after だけだと「何時間過ぎても良い」ことになり，あい昧だからである。

動作 / 状態の継続を意味する till, until がある。 両者は同じの意味だが，till は口語文，until は文語文に用いられる。until は文頭に，till は主節の後に置くことが多いと文法書は説明しているが，プロセスを追って，順に表現することを特徴とし，特に，主体的内容を先に述べ，その結果として生じる付加的なものを主文の後へ回すことの多い科学・技術文では，強調の場合以外は，till も until も主節の後へ置くことが多い。

(30) The spool is unwound *until* the end of the paper roll can be threaded through a slit in the spindle of an empty spool. Then the back of the case is replaced, and the winding is continued *until* the first part of the film is in position.
（スプールの巻きをほどくと［もどすと / 取ると］，ロール状の紙の端は空のスプ ― ルの軸についているスリットに通すことができる。次いで，（カメラの）ケ ― スの裏蓋を付け，巻き続けると，ついに，フィルムの最初が正しい位置にくる）

この until は「ついに」の程の日本語になる。

(31) From the zinc pole electrons flow along the wire *until* they reach the copper wire.（亜鉛極から電子が線を流れ，［ついに］銅線に達する）

(32) Turn either cylinder knob *until* paper comes up under Lucite Paper Guide and Automatic Paper Lock.

(左右いずれかのシリンダー・ノブを回して，用紙をルサイト樹脂の透明なペーパ―・ガイドとオートマチックペーパー・ロックの下へ巻き上げます)

(31)，(32) も同じに考えられる。

8.4 比較の意味

「as+ 形容詞 / 副詞の原級 +as」と「形容詞 / 副詞の比較級 / 最上級 +than」の 2 種類の比較法がある。

(33) The first laser used was an almost perfect piece of ruby about an inch and a half long and about *as* thick *as* a pencil.

(最初に用いられたレーザーは長さが 1 インチ半ほどで，太さが鉛筆ほどのほとんど申し分のない塊のルビーだった) ... as thick as a pencil *was* のこと .

この as … as の否定形に not as … as と not so … as があるが，どちらを使おうとあまり気にする必要はない。

(34) Hydrogen is a gas. *No other* substance in the world is *as* slight *as* hydrogen.

(水素は気体であり，これほど軽い物質はない)

形容詞，または副詞の前の as が単独で残り，後の as 以下が，次の文のように省略される場合が多いので注意。

(35) The miniature equipment will not generate as much heat.

(小型化した機械は大きい機械ほど熱を出さない) as much heat as the larger equipment will のこと。

科学・技術分野では倍数の表現がよく用いられる。表現形式は (four) times as many/much, etc. as が普通である。2 倍の時に限り two times と言わずに twice を使う。

(36) A helium atom weighs four *times as much as* a hydrogen atom.

(ヘリューム原子の重さは，水素原子の 4 倍である)

数の場合は times as many as … ，量の場合は times as much as …，大

きさの場合はtimes as large as …, 長さの場合はtimes as long as …になる。

比率の表現は，例えば「5 対 8 の比率で」という場合 (in) the ratio of 5 to 3, (in) the ratio 5:3 が普通である。従って,「空気と燃料の割合」は, the ratio of air to fuel, the air and fuel ratio, the ratio between air and fuel のように表現すれば良い。

(37) The *air and fuel ratio* necessary to reduce combustion temperatures to a reasonable level is approximately 60-1.
(燃焼温度を望ましい水準にまで下げるのに必要とされる空気と燃料の割合は，約 60-1 である)

比例と反比例は proportion, inverse proportion を使う。「正比例」には (in) direct proportion (to) を使えば良い。

(38) Air become cooler *in proportion to* the height of the ground.
(空気は土地の高さに比例して冷たくなる)

(39) The ratio has been found to be *inversely proportional to* pressure.
(その割合は圧力に反比例することが分かった)

なお,「最大の」は maximum であり,「最小の」は minimum であるが, upper limit, lower limit も使える。

(40) a) the *maximum* temperature in this room
b) the *upper* temperature limit in this room
c) the *upper limit* of the temperature in this room.
(この部屋の最高温度 [最大温度])

(41) a) the *minimum* temperature in this room
b) the *lower* temperature limit in this room
c. the *lower* limit of the temperature in this room
(この部屋の最低温度 [最小温度])

8.5 主語と助動詞の省略

as, if, once, when, while などは，主節と従節の主語，主節の動詞の時制と従節の動詞との時制とが一致すれば，次のような省略が可能となり，論文や契約書のような格式英文では多用されている。

(42) If
Once
When
While } (the wire is) *connected* in series, the wire passes the current.

(直列につなげば，つないでいる間　その線は電流を流す)

(43) *As stated* in the law, the purposes of the TVA were as follows:

(テネシー川流域開発公社の目的は，法律で述べられているように，次のようであった)

また，if/when necessary (必要ならば)，if/when possible (可能ならば) のように形容詞が直接続くことも多い。

8.6 仮定法・if 構文で注意すべき点

仮定法は，ほとんどの時制を用いることができるため，文の形式が同じでも未来形か現在形か過去形を使うことにより，話者の心理状態が異なり，相手を尊敬する気持ちを表す。

8.6.1 if 節にも will を使用

英作文の時間に，

(44) If you *will* come to our office tomorrow, I'll introduce you to the president.

(明日，全社においでくだされば，社長に紹介いたします)

のような英文を書くと，If 節に will を使うのは初歩的な間違いだと注意をされたものである。通例，if 節には will や would は用いないが，相手に丁重な依頼をしたり，動作主の意志などを表わすときは will や would を用いる。上に挙げた英文例の will は，未来を表わすのではなく，相手の好意を期待しているので正しい用法である。ちょうど，

(45) If you *will* stay there till tomorrow, I'll be glad to meet you. (明日まで，そこにおいででしたら，私は喜んでお会いします) と同じである。これを If you stay ...,

では，相手の気持を考えない，味もそっけもない言い方になる。次

の文はどうだろう。

If he will say 'yes,' I will help him. (彼が「はい」と言う気があるならば，助けてやります)

If 構文の中のこの will は意志を表わす。この英文も will があるために，「もし…と言う気があれば」のことだが，will がないと「もし…と言えば」となり，条件を表わすだけになる。

8.6.2 would は丁重

if 節に would を用いる場合を考えてみよう。この場合の would や should などは形だけが過去であって，時制上の過去ではない。初心者は，よく「…だったろう」のように過去の意味に考えるが，間違いである。このような過去形の助動詞を使うと，通常，表現に丁重さが増す。次の文を検討してみよう。

(46) We should be grateful if you will reply before May 1.

(5 月 1 日以前に，ご返事をいただければありがたく存じます)

の文で，will を would にすると丁重さがさらに増すので，ビジネスレターや商談などで多用される。

(47) It would be nice if you lent me another one hundred dollars.

(もう 100 ドル貸してもらえると，うれしいのですが)

では，依頼文だから，if you could / would lend とすると丁重さが増す。つまり，if 節に would や could を用いることができるのである。しかし，

(48) Would it be all right if I came around 8 in the morning?

(午前 8 時ごろおじゃましてよろしいでしょうか)

の文では，if 節の中に would や could は使えない。自分のことだからである。したがって，「依頼する文でのみ，if 節に would が使える」と思って良いだろう。

8.6.3 現在形と過去形で相違する意味

英文法の本には，「if 節に仮定法過去を用いて，現在・未来にお

けるありえないこと，または，実現の可能性の少ないことを仮定する」と書いてある。したがって，

(49) If I *become* a member of the House of Representatives, I will work to abolish the consumption tax.

(50) If I *became* a member of the House of Representatives, I will work to ....

は，(49) (50) の両方とも「衆調院議員になったなら，消費税を廃止する働きをするつもりです」と，未来について述べていることに注意すべきである。現在とか過去というような時間には関係ない。(49) の become の文は，選挙の候補者が言う言葉で，when より謙虚な気持ちを表している。(50) の became の文は「あまり起こりそうもない，ありえない，また，想像上の状況を示す」ので，立候補していない人の言葉になる。強いて日本語で表現すると,「議員になれたら」くらいのことになる.

日本語でも「もしも…になったなら」よりも「…になったとき」の方が確定な言い方になるので，英語でも，*If* I become ... よりも *When* I become ... が確定的な意味になる。そこで,「当社の製品を買ってくださいましたら，５％の特別割引をいたします」を，

(51) *If* you *bought* our product, we *would* allow you a special 5% discount.

と言うと，相手に買うことを期待していない印象を与えるので，

(52) *If* you buy our product, we *will* allow you a special 5% discount.

か，もっと確定的に期待するならば，

(53) *When* you buy our product, we *will* allow you a special 5% discount....

を勧める。

8.6.4 帰結節が現在形もある

「…であるときは，…するときは」のように因果関係にあるような事柄を述べるときには，if 節の帰結節に will を用いることもできるが，現在形のときが多いと言えよう。これは既成の事実などを述べるときに便利だから，科学・技術文などに多用されている。

(54) If ice is heated, it melts.
（氷は温めると溶ける）

(55) If it is 10 cm deep and 5 cm wide, that is enough.
（深さが 10 センチ，幅が 5 センチもあれば十分である）

(56) If black is mixed with white, it becomes gray. (黒に白を混ぜると灰色になる)

8.6.5 文語体では if，when 構文を避ける

科学・技術分野の研究論文や実用文は，文語体（formal）の英語だから，口語表現になる if，when 構文は避けた方が良い。例えば，「その装置を改良すれば，操作者の集中力は軽減できる」を

(57) If we improve such a device, we will minimize operator attention

としたのでは，格式論文や実用文では

(58) Improving such a device will minimize operator attention.

を勧める。

口頭発表では，次のような if 構文が多用される。

If we are careless (注意を怠ると)，If we are forced to say .... (～であると強いていうならば)，If we consider ... in relation to ...(～と結び付けて～を考えれば)，If the condition is very suitable,（好適な条件であれば)，If one of A and B is known, ...（A または B の）いずれか一方が既知であれば ...)。

「電気が切れると，コイルの磁性が直ぐなくなる」

(59) When electricity is off, the magnetism of the coil is lost at once.

格式文の論文や実用文では、次の文を勧める。

(60) Disconnection of electricity demagnetizes the coil immediately.

9. 関係代名詞

9.1 注意すべき用法

関係代名詞を多用している科学・技術文を見かけるが，無意味の場合が多いので注意をした方が良い。次に注意すべき用法を述べる。

9.1.1 制限的用法と非制限的用法

次の 2 文の内容の相違を把握されたい。

(1) The Service Department has 20 engineers who can adjust the calculator.

(2) The Service Department has 20 engineers, who can adjust the calculator.

(1) における who can adjust the calculator は先行詞 20 engineers を制限修飾する。つまり，「サービス部には，その計算機を調整できる技術者が 20 人いる」ことで，「その計算機を調整できる (人だけが 20 人いる)」という制限をつけるものである。この who のように制限的な形容詞節を導く関係詞を制限的用法 (restrictive use) の関係詞という。

(2) における who can adjust the calculator は，先行詞 20 engineers を修飾制限するものではない。「サービス部には，20 人しか技術者がいなくて，彼らはその計算機の調整ができる」のことだから，who can adjust the calculator という文句が付こうが付くまいが「20 人の技術者がいる」ことには変りないのである。つまり，who 以下は，単に付随的な事柄として付け加えられているにすぎない。この文は，The Service Department have 20 engineers. と They can adjust the calculator. という独立した 2 文を who という関係代名詞で結合したにすぎない。文全体は 2 個の独立節 (independent clause) からなる重文 (compound sentence) である。この文のような who を関係代名詞の非制限的用法 (non-restrictive use) といい，通常，関係代名詞の前にコンマがくる。要するに，関係代名詞に導かれる節が完全に主節に従属していて，全体でただ1つの事柄を述べているのが(1)であり，関係代名詞の前に休止のコンマは通常ない。(2)は，関係代名詞で導かれる節は独立性が強く，文全体は2つの事柄を述べていると感じられ，コンマの後に「and, but, since, for, because, as though, etc.+主語＋動詞」を補って書き換えることができる。

以上の説明で，(1)，(2)の内容の相違はつかめたと思う。具体的な例文から両者間の相違をもう少し究明してみよう。

(3) The only ones that really fill this bill are silica and silicate-base glasses, *which* are not much stiffer than ordinary aluminum.

(この要求をほんとうに満たしているものは石英とケイ酸のガラスだけだが，これらは普通のアルミニウムよりずっと硬いわけではない)

この which は but they と書き換え可能。

(4) This produces an intense and rapidly expanding magnetic pulse, *which* sets up sympathetic electrical currents in the work piece.

(このため，強い磁気パルスが急激に広がり，加工材の中に感応電流を励起する)

この which は and it に書き換え可能.

(5) These lamps are located in the dome of the chamber, *which* is removable to allow the entry of spacecraft and other test articles.

(これらのランプは室の円天井に位置していて，その円天井は，宇宙船や他の試験物を搬入できるように取り外しができる)

この which も and it に書き換え可能。そして，which is だから，この it は the dome のことになる。

科学・技術文では，process を起こる順に述べるのが普通だから，関係代名詞の前のコンマを無視して，関係代名詞に導かれる節から訳して，それを先行詞にかけると，つまり，制限的に訳すと内容が著しく変わる時があるから注意されたい(例文(4)参照)。

同じ非制限的用法でも，スタイル上，単に挿入的に用いられることも多い。

(6) To cope with the problem of the Moon's gravitational field, *which* is only 1/6 that of Earth, a group of ingenious simulators are available.

(月の重力 — 地球のわずか 6 分の 1 — の場の問題に対処するために，精巧なシミュレーション装置のグル -— プが利用できる)

(7) For electrospark machining, on the other hand, *which* is the next Process to be discussed and *which*, of these three processes, is probably the most important, feed rates can be as high as 0.5 in./min.

(これに反して，放電加工では — これから述べる次のような方法で，3 つの方法の中でおそらく最も重要な方法だろうが — 送り速度は毎分 0.5 インチにも速くできる)

(6), (7) の文で，関係代名詞の引きいる節は，カッコに入れて考えるべき内容を伝えている。従って，コンマの有無で制限的用法か非制限的用法かは一概に決められない。

9.1.2 あい昧な先行詞

先行詞が the water in the glass のような句をなしている場合，これに，仮に，which is clean のような修飾がつくと，which の先行詞は the water か，the glass かが分らない時がある。前後関係で判断できるよう，この種の先行詞を用いるときは注意を要する。

(8) Between the fibers associated with drawing over the die and with stretching over the punch, there *is a narrow band in zone Y which* escapes plastic bending throughout the drawing process.

(ダイス上で絞りを受けるファイバーとポンチ上で引張りを受けるファイバーの間に，深絞りの全過程を通して塑性曲げを逃れている狭い環状の要素 — Y 領域に属する — がある)

(8) でイタリック体の部分を，「(塑性曲げを逃れている) Y 領域に属する狭い環状の要素」と訳すと which 以下の先行詞が zone Y になり誤訳となる。いずれを先行詞にするかは前後関係で決まるが，a narrow band (in zone Y) とか a zone-Y narrow band のように工夫すると読者の助けとなろう。

(9) Breaking of the circuit as the contacts are opened causes *a rapid collapse of the magnetic field which* generates *a transient voltage in the primary windings which* can surge to a value of 200 to 300 volts.

（接点が開いて回路を切ると，200-300 ボルトの値にサージ電圧を出す過度電圧を一次コイルに起こす磁場の急激な破壊となる）

一応訳してみたが，この例も先行詞の選び方で内容が違ってくる。このような場合は，文頭から逐次訳をすると良い。次のようにこの訳すと内容が良く理解できるだろう。

「接点が開いて回路が切れると，磁場が急激に壊れて，一次コイルに過度電圧を生じさせ，その値は 200-300 ボルトまでのサージ電圧となる」

初めの訳では which の先行詞は a rapid collapse of the magnetic field であり，後の訳では which は a transient voltage である。

(10) In general two kinds of contamination can occur in an engine oil *that arise* from chemical breakdown of the oil itself.

（通常，エンジン・オイルには，オイル自体の化学分解が原因で，2 種類の汚染が起こりうる）

動詞が arises でないので，that の先行詞は two kinds of contamination である。文体の都合上，このような英文もある。

9.1.3 前置詞＋関係代名詞

Is this the house you live in?（この家にお住まいですか）は Is this the house *in which* you live? の口語調の表現である。そこで論文などでは英文が堅いため，関係代名詞を省略して，その前に置く前置詞を the house you live in のように文尾に回すことは極めて少ない。逆に，カタログや（取扱）説明書などでは，口語調だから関係代名詞を省略した the house you live *in* の型が多い。

(11) The walls of the chamber contain panels or coils *through which* liquid nitrogen is circulated.

（室の壁の中にはパネルかコイルがあり，液体窒素はそれを通っ

て循環している）

(12) From the graph it is clear that there is a narrow band of temperature *below which* the reduction in area is small and nearly constant and *above which* it is fairly large and nearly constant.

（グラフから明らかなように，狭い温度領域が存在し，その下には面積の減少が少なく，しかも，ほとんど一定の領域があり，その上には面積の減少がかなり大きく，しかも，ほとんど一定の領域がある）

カタログや（取扱）説明書は，単文やandで並列する文が多いため，関係代名詞の使用は極めて少ないが，複文のときでも，目的格の関係代名詞は省略することが多い。

(13) This is the outer tub the wash basket sets in.

（これは，洗濯のカゴをセットする外側の水槽です）

(14) Turn the cylinder until the level you wish to write on.

（書きたいと思っているところまでシリンダーを回しなさい）

(15) When you feel you are not getting the shave you want, follow simple instructions below to change blades.

（ご希望の剃れ味が得られないときは，次のような簡単な方法で刃を交換してください）

(13)-(15)はカタログと取扱説明書から引用したものである。説明するまでもないと思うが，(13)はthe outer tub *in which* the wash basket setsのことであり，(14)はthe level *on which* you wish to writeのことであり，(15)はthe shave *that* you wantのことである。

また，カタログや（取扱）説明書やEメールなどでは，口語調の英文だから，whichにかわってthatが多用されている。

(16) This contains a series of rugged gears *that* take the power from the motor.

（ここには，モーターから動力を伝える一連の頑丈なギアが入っています）

(17) Select a model *that* will meet both your family's present and

anticipated future storage needs.

(ご家族の現在，および将来を見越して，必要な貯蔵の大きさに合う型を選びなさい)

9.1.4 関係代名詞の省略

カタログ，(取扱)説明書，仕様書，手紙，E メールなどでは関係代名詞の目的格は省略されるのが普通であることはすでに述べた。形容詞や分詞の前の主格の関係代名詞が省略される傾向がある。その関係代名詞に続く助動詞や be 動詞も同時に消滅する。論文などでも省略されることが多い。

(18) Alternatively we could use a beam of X-rays of a whole range of wavelengths, instead of the monochromatic beam *used* today, thus guaranteeing that there would be a wavelength *appropriate* to the angle of our crystal.

(代わりに，私たちは今日(こんにち)用いられている単色ビームではなく，全波長領域を含んだ X 線ビームを用いることが出来よう。そうすれば，結晶の角度に適合する波長が確実に得られる)

beam used は beam (*which is*) used のこと。 a wavelength appropriate to は a wavelength (*which is*) appropriate to のこと。

(19) For many years this was the only technique *available* for investigating metal structures.

(この方法は，長年に亘り，金属の構造の研究に利用された唯一の方法だった)

the only technique (*which was*) available のこと。

(20) … more moderate cases are observed by the occupants as unpleasant vibrations *transmitted* through the seat or the steering wheel.

(もっとおだやかな場合には，シートかハンドルを通じて [その車に] 乗っている人に不 快な振動が伝わってくる)

unpleasant vibrations (*which are*) transmitted のこと。

9.1.5 関係代名詞節を形容詞で

関係代名詞に導かれる句を形容詞で表現すると，構文はすっきりすることが多い。

(21) The job *which I am doing now* suits me exactly.
(今している仕事は，私に最適である)

(22) Electronics is a subject *which I like best*.
(電子工学は，私が一番好きな科目である)

(23) The tool *which was ill-used* is now repaired.
(使い方を間違えた道具が，今，修理された)

(21)-(23)の3例は次のように語を節約でき，まとまった構文になる。

(21') The *present* job suits me exactly.

(22') Electronics is my *most favorite* subject.

(23') The *ill-used tool* is now repaired.

論文などの格式語が中心の書類では，この用法を勧めたい。

10. 前置詞

科学・技術分野では，内容や機構が分からないと適切な前置詞を使って英文に翻訳できないと言えよう。特に，前置詞は，場所，目的，方向，時，動因，分離，適合，代替などを表わすので，科学・技術の英文では極めて重要な要素である。前置詞の相違により内容が変わるので注意しなければならない。前置詞の持つ基本的な意味をしっかり把握するには辞書からでは，なかなか得られるものではない。日頃の学習により身に付けねばならない。

例えば「この肉を犬に投げてやりなさい」に対して，

(1) a) Throw this piece of meat *at* the dog.

b) Throw this piece of meat *to* the dog.

c) Throw this piece of meat *toward* the dog.

と表現したとする。a) は「犬にめがけて肉を投げける」ことで，憎しみを表わすことにもなる。b) が「犬の方へ投げる」で普通の言い方で，c) は「犬のいる何処でも良い方向に投げる」ことになるので，犬を焦らすような内容になる。

「注油穴に油を数滴注入しなさい」を英語で表現するとなると，「注油穴に」の「に」に対する前置詞の選定に困る。一般的には in か into か through だろうが，三者とも内容を異にするので，機構が分からなければ英訳できない。一応，次の 3 通りに表現してみよう。

(2) a) Apply a few drops of oil *in* the oil hole.

b) Apply a few drops of oil *into* the oil hole.

c) Apply a few drops of oil *through* the oil hole.

a) は，単に「注油穴の中に」であり，b) は「油穴が細くて長い」印象を受け，c) は「注油した油が穴を通して流れ落ちる」ことを意味する。

いわゆる句動詞 (phrasal verb)，例えば，take after, take away, take back, take down, take off, take out, take over, take up などは覚えておかねばならないが，幸いなことに，科学・技術文では，この種の句動詞はごく限られた分野の英文にしか現われない。これらは口語体なので，綴字の長い文語調の1語の準専門用語を用いる傾向が強いのである(§4.3.5/4.3.6 参照)。従って，基本的意味のほかに，be anxious about，be anxious for，be anxious to のような，どちらかというと，機械的な結びつきの前置詞に注意すべきである。

10.1 基本的用法

10.1.1 場所 / 方向の意味

場所や方向を意味する代表的な前置詞を説明する。

10.1.1.1 to，at，from

「…から出て」from と，方向を表す to，次の「到着点」at であり，次に from の反対の「…に至る」を意味する from があり，to，at，from で一連の動作になる。

(3) a) The ball is rolling *to* the wall.
(ボールは壁の方向へ転がっている)
[明確な方向で，壁が到着目的]

b) The ball is *at* the wall.
(ボールは壁に付いている)
[到着して壁に付いている。一点を表わす]

c) The ball is *rolling from* the wall.
(ボールが壁から転がって離れている) [at の次の動作]

d) The ball is [stays] *off* the wall.
(ボールは壁から離れて止まっている)

10.1.1.2 onto，on，off

「…の上から下へ」onto と，次に「到着点」on，次に onto の反対の「…の上から離れる」を意味する off がある。

(4) (a) The ball is falling *onto* the board.
(ボールは板の上の方へ落下しつつある)
[上からの方向で，板が到着目的]

b) The ball is *on* the board.

（ボールは板の上にある）［到着して板の上にある］

c) The ball is rolling *off* the board.

（ボールは板から転がって離れつつある）［on の次の動作］

d) The ball is [stays] *off* the board.

（ボールは板から離れて止っている）

10.1.1.3 in(to)，in，out of

「…の中へ」into と，次に「…の中へ入る」in と，次に into の反対の「…の中から出る」out of がある。

(5) a) The ball is rolling *into* the box.

（ボールは箱の中）へと入りつつある）［中への動作］

b) The ball is *in* the box.

（ボールは箱の中に入っている）［into の後の状態］

c) The ball is taken *out of* the box.

（ボールが箱から取り出す）［in の後の動作］

d) The ball is [stays] *out of* the box.

（ボールは箱から取り出されて置いてある）［c. の後の現象］

10.1.1.4 along，on，across，through

「…に沿って」along,「…の上を」on,「…横切って」across,「…を通過して」through などがある。

(6) a) The ball is rolling *along* the road.

（ボールは道路に沿って転がっている）

b) The ball is rolling *on* the road

（ボールは道路の上を転がっている）

c) The ball is rolling *across* the board.

（ボールは道路を転がりながら横切っている）

d) The ball rolled *through* the road.

（ボールは道路を転がって通過した）［通過を表わす］

e) The ball is rolling *around* the road.

(ボールが道路のあちらこちらを転がっている)

f) The ball crossed *over* the road.

(ボールは道路を飛び越えた)

[crossed の他に bounced でも良い]

今までの行動を参考にして，次の，

(7)「彼はベッドから飛び起きた」

He jumped { from / off / *out of* } the bed.

の状態を考えてみよう。from は，「一転の at から離れる」ことだからあり得ない。off が on の次の行動だから通常の現象である。out of は into の結果だから，into では bed の中へ潜っていたことになり不可能といえよう。

onto は on の前の状態を意味する前置詞だから，「上に乗る」ことを意味する。into は in の前の状態だから「中へ入り込む」ことを意味する。会話では in に代えることが多い。

inside や outside は in(to) や out of に代わって用いることができる。within は in よりも堅苦しく，かつ，意味が強い。

The outlet is installed *in* the wall. では「コンセントは壁に埋め込んである」ことになり，The outlet is installed *on* the wall. では「壁の表面へ突き出ている」ことになる。The ball is rolling *on* the grass では「草が短い」ことを意味し，The ball is rolling *through* the grass では「草が長い」ことになる。

10.1.2 位置の意味

10.1.2.1 above，over など

(8) a) The sky *above* the car is blue.

(自動車の上方の空は青色をしている)

b) Clouds are *over* the hill.

(雲が丘を覆っている)

c) The power pole stands *by/beside* the car.

(電柱が自動車の側に立っている)

d) The roof rack is *on* (*the*) top of the car.

(荷台 [ルーフラック] が車の上に付いている)

e) A boy is standing *in front of* the car.

(少年が車の前に立っている)

f) A large stone is *behind* the car.

(大きい石が車の後にある)

g) The road is *under* (*underneath*)/*beneath* the car.

(道路が車の下にある)

h) A loop of wire passes *below* the car.

(ループ線が車の下を通っている)

以上を整理する。on の反対は under，over の反対は beneath，above と below，in front of と behind/in back of は，それぞれ逆の関係を表わしている。 over と above は交換可能な場合もある。underneath は under と同じような意味だが，「上から覆いかぶさる」を強調する時に用いられる格式語でもある。この意味では on (the) top of の逆である。beneath も可能だが文語である。by と beside は at the side of を意味し，near と交換可能。

位置を表わす前置詞には between や among などもあるが，前者は，通常，2 者間の，後者は 3 者間以上を意味する。 1 つのものと周囲の多くのものとの関係を示すときは between を用いる。

(9) Switzerland lies *between* France, Germany, Italy and Austria.

(スイスは，フランス，ドイツ，イタリア，オーストリアに囲まれている)

9) と同様，3 つ以上のときでも，2 者間の関係を個々に表わすときは between を使う。

(10) The new treaty was concluded *between* three nations.

（新条約が 3 か国間で締結された）

10.1.3 時の意味

10.1.3.1 at，in，on

at は，時の 1 点を示す。

(11) The earthquake occurred *at* noon.（地震は正午に起こった）

(12) The gate opens *at* nine o'clock.（門は 9 時に開きます）

in は，比較的長い時間を示す。朝，夕の一部，月 [月だけのとき]，季節，年の前に付く。

in the morning, *in* the afternoon (cf. *at* night, *in* May, *in* (the) spring, *in* the 20th century, *in* 2020

また，「特定の期間 / 時間の間，現在から考えて，ある時の終りで」の意味を表わす。

(13) Can you finish it *in* a day?

（1 日で終えることができますか）

(14) The result will be reported *in* a week.

（結果は 1 週間経てば [1 週間後に] 報告されるでしょう）

注：in a day [week] は「一日［週間］で」のことで after（過ぎてから）と間違えないように注意

on は，一般に週や日を表わす名詞と共に用いる。

(15) *on* Monday, *on* Apri1 25, 2020, *on* 10th

「朝に」や「夕に」は *in* the morning, *in* the afternoon だが，「月曜日の朝に」「4 月 25 日の晩に」は，それぞれ *on* Monday morning，*on* the evening of Apri1 25 である。

10.1.3.2 by と (un)till

よく混同されるが「…までに」が by で，「…まで」が till である。前者は完了の一点を示し no later than を意味し，後者は継続の終止点を表わす。till と until は意味上の差はないが，until は格式語である。

I will be here *by* [× *till*] Wednesday. は「私は水曜日まで，ここにいます」であり , I will be here (*un*)*till* [× *by*] Wednesday. は「私は水曜日いっぱい迄ここに参りますます」のことになる。次の (16) では 5 月 31 日は含まれる。

(16) Finish painting the house *by* May 31.

(5 月 31 日までに家の塗装を終えなさい)

10.1.3.3 before と after

両者は逆の関係にある。before は earlier than を，after は later than を意味する。*before/after* July 1 には 7 月 1 日は含まれない。

10.1.3.4 during と for

両者は時の期間を示すが，during は，during Christmas のように，具体的な名称や the, this, that, these, those, my, his, your などに限定された, 特定の期間を示す目的語とともに用いられ「ずうっと」を意味する。

(17) during *the winter*, during *2020*, during *the lecture*

一方 for は，通例，不特定な期間を示す目的語をとり「ずうっと」ではない。しばしば数字で修飾された名詞や不定冠詞の付いた名詞，無冠詞の複数名詞などが付く。なお，文によっては，この for は省略できることがある。

(18) a) for *three weeks*, for *a month*, for *a long time*

b) I have been here (for) *five years*.

従って，during a week は誤りで，for a week が正しい。

January とか summer のように月，四季を表わす語のほか，Christmas, holiday, vacation などの語の場合，during, for の両者を用いることができるが，通例，during はその期間中という文脈で用いられ (*e.g.* We camped at the lake *during* the summer (夏 (ずっと) その湖でキャンプをした), for は「その期間」といった計画や目的が含意される (*e.g.* We camped at the lake *for* the summer (夏 (のあ

る期間)を過ごすためその湖でキャンプした)。

10.1.3.5 to と till, until

to は to Osaka のように場所にも使えるが，till，until は一般に，時にだけしか用いられない。なお，「by と till」の項(§10.1.3.2)を参照されたい。

(19) The signal was transmitted *from* 8:00 *to* 11:00.
(信号は 8 時から 11 時まで送信された) [*from* 8:00 *till* 10:00 も可能]

開始を表わす from のないときは，終りを表わすには to でなく till か until を使う。

(20) The computer will be printing out all data *until* five o'clock.
(コンピューターは 5 時まで，すべてのデータを打ち出し続けているだろう)

期間を表わすのに，from May 5 to June 5 のようによく from ... to を用いるが，この日が含まれるか否かがよく問題にされるので，from May 5 to June 5 (both days included) とか，the period commencing with May 5 and ending with June 5 (5 月 5 日から 6 月 5 日までの期間)のように表現すれば明確になる。契約書類では特に注意すべきである。

10.1.4 手段 / 道具の意味

10.1.4.1 by と with

by と with が代表だが，手段，行為者などには by，道具，材料などには with という説があるが，このような基準は当てはまらないことがあるので注意。

by の慣用語法に *by* air/bicycle/boat/bus/car/email/fire (火事で) /hand (手動で)/letter/line/machine (機械で)/messenger/plane/post/radio/sea/steam (蒸気で) /subway/telephone/train などがあり，通常，無冠詞である。しかし，前置詞が変わると冠詞が現

われる。

(21) go to the office *by* bicycle/*on* a bicycle

(自転車で会社へ行く)

on の時は不定冠詞が付く。 on も「使う」という意味で多様される。on a mobile phone (携帯電話を使って)

(22) The program was broadcasted *by* radio/*on* the radio.

(プログラムはラジオ放送された)

by は行為の主体を示すので，by の次の名詞を主語にして文を書き換えることができる。

How ...? の質問に答えうるものが with によって導かれる。

(23) a) The plant was destroyed *by* fire.

b) The plant was destroyed *with* fire.

の 2 文を比較すると，a) は Fire destroyed the plant. (火災が起こって工場は全焼した) ことを意味し，b) は Someone destroyed the plant *with* fire. (誰かが放火して工場が全焼した) ことになる。

しかし，次のようにどちらでも良い場合が多い。((24 a) → (25 a), (24 b) → (25 b)) に書き換えることができる。with の文は書き換えると Someone が主語になるので「誰かが」を意味することになる。

(24) A worn tire was replaced a) *by* a new one.

b) *with* a new tire.

(擦り減ったタイヤを新しいのと取り替えた)

この文は，次の (25) のように書き換えられる。

(25) a) A new tire replaced a worn one.

b) Someone replaced the worn tire *with* a new one.

道具の概念は，use(動詞) を使って，次のようにも表現できる。

(26) Tighten the screw *with/by using* a screwdriver.

→ *Use* a screwdriver to tighten the screw.

(ねじ回しを使ってねじを締めなさい)

(27) The can was opened *with/by* using a knife. → A knife was *used* to open the can.

（缶はナイフで開けられた）

「道具を使わないで」は without か，use の打ち消しで表現できる。

(28) The line was drawn *without* a ruler. → A ruler was not *used* to draw the line./The line was drawn *without* using a ruler.

（線は定規を使わないで引かれた）

with using とはしないが，without using とはする。

10.1.5 日本語の「…の」と of

日本語の「…の」は，英語の of であるという先入観から，次のような誤用が多い。

(29) 物理の実験

an experiment *of* physics は不可。an experiment *in* physics が正しい。「英語の試験」も a test *of* English は不可。a test *in* English（英語の試験）である。

(30) 自動車のハンドル

the steering wheel *on* an automobile がよく用いられる。この on をうっかり「…上の」と和訳しがちだから注意。これは the steering wheel (which is installed) on an automobile 自動車（に取付けられている）ハンドルの括弧内の英語が省略された形で，通常は括弧内の英語は省略される。a crankpin *on* the engine shaft（エンジン・シャフト［に付いている］クランクピン）a crankpin (which is installed) on the engine shaft の括弧内の英語は省略される。

(31) 部屋の温度

「室温」は the temperature *in* the room が良い。*of* the room でも分かるが，of the room だと「部屋の壁などの温度の」ことにもなる。

(32) 10 万円の小切手

a check *for* ￥100,000 が正しい。500 ドルの L/C（信用状）も

an L/C *for* / *in the amount of* $500 とする。

(33) かぜの薬

a medicine *for* a cold が正しい。同様に,「せきの薬」は a medicine *for* a cough である。

(34) テレビのニュース

I prefer to hear the news *on* the television. (テレビでニュースを聞くのが好きだ)のように言い, the news *of* the television とは言わない.

(35) ニューヨークの支店

an office *in* New York である。an office *of* New York ではない。「支店」に branch は discriminatory word（差別語）になることがあるから注意。

The Royal Company *in* New York (ニューヨークの [存在する] ロイヤル社) と The Royal Company of New York (ニューヨーク・ロイヤル社) とを比較されたい。後者は社名になる。

(36) 原料の注文

an order *for* raw materials である。「…の注文をもらう」は have/receive an order *for* ... であり,「…を注文をする」は give[*or* place] an order *for* ... となる。order のついでに,「アルファベット順の名前」も the names *in* alphabetical order である。「数学の才能」も「数学に対する才能」と考えて a talent *for* mathematics である。

(37) 問題の式

the expression *in* question である。しかし,「機械の修理の問題」は the question *of* repairing the machine,「資金調達の問題」は the question (*of*) how to raise the funds,「時間の問題」は a question *of* time で良い。

(38) 両者の違い

the difference between the two が普通。なお,「色の違い」は differences *in* color である。そして,「意見の違い」は a difference *of* opinion between them である。

以上のほかに，「コンピューターの権威」は an authority *on* computers といい，「力学の本」は a book *on* mechanics というように様々である。「代数は数学の一分野である」は Algebra is a branch *of* mathematics. である。これは，a branch of からである。

前置詞について不安になったら，拙著『科学技術英語の正しい訳し方』（南雲堂）参照。

10.2 和訳法の一考察

(39) The driverless car accelerates, brakes and maintains a safe distance behind other cars on the highway in response to electrical signals *from* the road.

この文を「運転手不用の自動車が道路からの電気信号に反応し，公道で加速したり，ブレーキをかけたりして，他の車と安全車間距離を保っている」と訳すよりも，この from の前に which are transmitted が省略されていると考えて，「(道路から) 発信される / 送られる (信号)」の」ように動詞を前置詞の前に挿入して訳すと，すっきりすることが多い。

(40) This cable generates a steady signal which is picked up by two coils *on* the front of a car.

この on も「上の」と訳すと誤訳になる。「このケーブルで一定の信号が発生して，自動車の前部に付いている 2 つのコイルにより受信される」とした方が良い。すなわち two coils (which are installed) *on* the front of のことだからである。日本語も「付いている」より「装着された」の方が好ましい。

「名詞 + 前置詞 + 名詞」の形で，前置詞の前の分詞が常に省略できるとは限らない。例えば「当社の工場に設置されているボイラーは，きわめて狭いスペースしかとらない」を The boiler *in* our plant requires only a limited floor space. と表現したとすると，この in はあい昧である。つまり，「工場内に置いてある」と解釈される可能性もあるので，「工場に設置されている」であれば The boiler *installed* in our plant …. と自然に分詞が必要になる。

次に，into とか out of の訳し方の悪例を紹介する。

(41) All this combines *into* meaningless surroundings.

これを「これらすべてが，無意味な環境へと結びつく」では何のことか分からない。into を結果を表わすように訳すとすっきりする。つまり，

「これらすべてが結びついて，無意味な環境を作り出す」とすれば内容が理解できる。

(42) When the float bowl has filled up, a metal float raises an needle valve *into* an opening.

(フロート室が一杯になると，金属浮きによりニードル弁が上がり穴に入る)

これを「金属浮きがニ — ドル弁を穴の中へと上げる」では into の訳が出ていないことになる。into の逆の意味を持つ out of にも同じことが考えられる。

(43) Slide the underscore shaft *out of* the key lever frame.

(アンダーライン用シャフトを滑らせて，キー・レバー・フレームから外しなさい)

[out of の訳に注意]

連動 / 方向を表わす前置詞の訳には注意した方が良い。次に on を考えてみよう。

hear it *on* the radio (ラジオでそれを聞く)，play the jazz *on* the piano (ピアノでジャズを弾く)，watch it *on* television (テレビでそれを見る)，talk *on* the mobile phone (携帯電話で話す) のような on は文法書などで扱っているため認知されているが，同じ手段 / 方法を表わす on でも次の例のような場合の訳に困る人が多いようだ。

(44) Our cassette tape recorders work *on* three sources.

この訳を「当社のカセットレコーダーは 3 電源上で作動する」よりは「当社のカセットレコーダーは 3 電源方式である」の方が理解し易い。

このonはby means of ... (…を使って)を意味する。

(45) The sample is accurately turned *on* the lathe so that the diameter of a parallel section is 0.564 inches.
(その試料は旋盤に正確にかけられて，平行面の直径が0.564インチになる)

10.3 処理法

前置詞は日本人にとって厄介で，一生の勉強が必要とまで言われている。次の日本文を英語で表現してみよう。

(46)「高速度で回転する部分は十分潤滑されていなければならない。」

まず，「高速度で」がwith high speedかwith a high speedかat high speedかat a high speedかといった疑問が生じる。そこで，The parts rotating *at a high speed* should be sufficiently lubricatedとしたが，どうも自信がない。そのような時は，前置詞に導かれる句を文頭に置いて，前置詞を取り去って，次のように表現できる。この表現法は科学・技術分野に多い(「分詞」§12参照)。

(47) *High-speed rotating parts* should be sufficiently lubricated.

こう表現すればhigh speedの前の不定冠詞の有無も問題でなくなる。「…の」とof(1日で終えることができますか)の項(§10.1.5)でも，いろいろな前置詞の結びつきの例を紹介したが，これらも，前置詞の次の名詞を，前置詞の前の名詞に形容詞的に使えば，勧められる形でない場合もあるが，前置詞の煩わしさからは解放される。

(29)のan experiment on physicsはa physics experimentに，a test in Englishはan English testの形も可能である。

(30)ではthe windshield on an automobile → an automobile windshield; a crankpin on the engine shaft → an engine-shaft crankpin.も可能。

(31)のthe temperature in the roomはthe room temperatureの形も可能である。

(32)では，a check for ¥100,000 → a ¥100,000 check; an L/C for $500 → a $500 L/Cも可能。

(33) の a medicine for a cold（風邪の薬）を a cold medicine とすると「冷たい薬」に内容が変わってしまうので不可。a medicine for a cough は a cough medicine の形も可能である。

(34) の the news on the television は the television news に。

(35) の the office in New York は the New York office となる。The Royal Company in New York と The Royal Company of New York は New York Royal Company とすると区別がつかなくなるので，もしこの形で表現されていれば，前後関係で判断しなければならないのではなく，社名は勝手に変えられないので注意。

(36) の an order for raw materials も a raw material order で分からないことはないが避けるべきだろう。raw が material を修飾するか order を修飾するかが分からなくなるからである。勿論 a raw-material order とハイフンで raw と material を結べば問題はない。同様に the names in alphabetical order も the alphabetical order names とするのは無理な表現である。a talent for mathematics は a mathematics talent は可能である。

(37) の the expression in question は the question expression とは言わない。a question of time も a question time では「質問時間」になり，内容が変わるので不可能である。

(38) の the difference between the two は the two difference とは言えない。その他は , differences in color → color differences; an authority on computers → a computer authority; a book on mechanics → a mechanics book も可能である。

一応，機械的に並べてみたが，この種の便利な表現法は十分な注意をして用いねばならない。少し細かく注意すれば，「ドアの取っ手」は the knob on the door と the door knob と表現できるが，前者は「ドアに付いている取っ手」を意味し，後者は「ドアノブ」という名称になる。

10.4 群前置詞

1 語からなる前置詞で事足りる場合でも群前置詞 (group preposition) を用いる傾向があるが，意味が前置詞で強調したいときに，群前置詞を使う場合が多い。次によく目につくものを示すが，便宜上これらを群前置詞と呼ぶ。

(48) according to, by means of, for the purpose of, in connection with, in favor of, in regard to, in respect to, in view of, with reference to, with a view to

(49) Stress can be measured *by* means *of* an element.

(応力 [弾性] はエレメントにより測定できる)

このby means ofは，強調したくなければ，byに置き換えることができる。

(50) This device starts the machinery *for the purpose of* closing the door.

(この装置はドアを閉める [ための] 機械装置を始動させる)

このイタリックのfor the purpose ofは強調しないときはforだけに置き換える。

11. 冠詞

11.1 冠詞に対する考え方

日本語には冠詞がないので，われわれ日本人にとって冠詞は実に厄介である。名詞に出合ったら，無冠詞，不定冠詞，定冠詞，複数形，one，two のような数詞，this，that のような指示形容詞の問題を考えなければならない。

冠詞の用法の基本的ルールを参考までに述べよう。

名詞の種類と冠詞の関係

	I	II	III	IV
無冠詞	copper	(?) cup	control	Trump
定冠詞	the copper	the cup	the control	the Trump
不定冠詞	a copper	a cup	a control	a Trump
複数	coppers	cups	controls	Trumps
不定の量	some copper	(?) some cup	some control	(?)some Trump

I は物質名詞で一般に不可算語，II は普通名詞で可算語，III は抽象名詞で一般に不可算語，IV は固有名詞の例である。表中 (?) は「普通でない」ことを意味する。この表から，冠詞の用法，可算・不可算についての概要がつかめたと思う。

日本語の「月」は英語では the moon で a trip to the moon (月旅行)，*The* moon rises in the east and sets in the west.(月は東から上り，西に沈む) ということになっているが，「半月」「満月」「新月」などは，それぞれ *a* half moon，*a* full moon，*a* new moon のように不定冠詞を用いるのが普通である。しかし，これとて，昨今は無冠詞の例を見るくらいである。「今夜は月が出ている」は There is a moon tonight のように不定冠詞を用いるのが慣例である。The moon is out. も可である。「衛星」も a moon である。

「これらは，この会社の製品です」は These are the products of this company. は，「読み手も知っている 2 台以上の製品か製品全部」を指し，

These are products of this company.（これらは，この会社の製品です）と前文と訳は同じだが，「製品の幾つか」を意味することになる。また，*the* computer of the company は，この会社の 1 台のコンピューターだが，*a* computer of the company では，明らかに 1 台以上のコンピューターがあることになる。

英語を母語とする同一の人でさえ，同じことをいう時に，冠詞の用法が異なるときがあるくらいである。次例参照。

(1) The Greeks thought that to keep a body in motion with *a constant velocity* it is necessary to push on it continuously with a force. But the first principle of dynamics proclaimed by Isaac Newton teaches us that when a body moves with *constant velocity* there can be no net force acting on it.

(動いている物体を等速運動に保たせるには，力で絶えず押し続ける必要があるとギリシア人は考えた。しかし，アイザック・ニュートンが提唱した力学の第一法則によれば，物体が等速運動をする場合，それに働く正味の力は全然ないのである)

この英文中の a constant velocity は「ある一定の速度」のことで，不定冠詞は，普通，必要である。出版社の校正ミスかもしれないが，後の constant velocity には冠詞がついていない。正しくは，ここは *the* constant velocity である。

(2) The great fundamental synthesis that their work will soon establish will also provide *biomedical technology* with the sound theoretical basis it now lacks.

(彼らの研究が，やがて確立する偉大な基礎的合成により，現在欠けている，健全な理論的な礎を生体医学用工学技術に与えもするだろう)

同じ著者で，同じ biomedical technology でも，次例では不定冠詞が付いている。これは，この著者は恐らく biomedical technology について明確な知識がないからであろう。

(3) It [This new explosion of scientific activity] will enable us to develop *a positive biomedical technology*.

(この新しい爆発的な科学上の活動により，私たちに積極的な生体

医学用工学技術を開発することを可能にさせるだろう）

ここでは，biomedical technology に，positive という形容詞が付いたから不定冠詞が付いたので，some ほどの意味である。

次も同じ著者が同じ本で用いている例である。

(4) … but so far the technique has not given *good surface finish* or accuracy.
（しかし，これまでは，この技術では，良い表面仕上げも精度も得られなかった）

(5) In the deep-drawing process, which is always carried out cold so as to give stiffness and *a good surface finish*, a flat sheet of metal is forced down into a shaped die by a suitable punch.
（深しぼり加工では，硬さと良い表面仕上げを得るために常に冷間で行なわれ，平らな金属が適当なポンチにより，前もって形づくられたダイスの中へと無理に押し込まれる）

(4) の文では，good surface finish が無冠詞だが，(5) では不定冠詞が付いている。(4) は，surface finish の真意が理解できなかったから無冠詞であろう。

以上は，抽象名詞でも positive や good のような形容詞が付いた例である。形容詞が付くと，通常は不定冠詞を付けるが，書いている人が，書いている事柄についての知識が無いときは無冠詞になる。

11.2 不定冠詞

一般には，*a* dullness, *a* gloom, *a* knowledge of のように具象性か，非具象性かに関係なく不定冠詞を付ける，いわゆる抽象名詞が多いが，科学・技術分野では具象性を表わす語に不定冠詞が付く傾向が強い。つまり，一つの名詞が可算・不可算の両方に用いられるケ — スがいくらでもある（「可算語と不可算語」の項 (§3.6) 参照）。

不可算語の名詞でも，その前に修飾語が付けば，通常は，不定冠詞は付くことは覚えておくと良い。次の (6) 参照。

(6) A solder joint establishes *a good connection* between the two wires.
（はんだの継ぎ目は 2 本の線をしっかりと結合する）

a cable connection, a drug connection, *a mechanical* connection, railroad connections など多くある。

11.2.1 導入の不定冠詞

(7) *A* radar set includes *a* transmitter and a receiver. *The* transmitter works somewhat like *a* radio broadcasting station, but *the* receiver operates more like *a* television receiver.

(レーダー装置には送信機と受信機が付いていて，送信機はいくぶん放送局に似た働きをするが，受信機はテレビ受信機のような作用をする)

初めて話題に取り上げる数えられる名詞には，通常，a(n) を付ける。その名詞が 2 度目に用いられれば a(n) が the になることはご存じの通りである。

11.2.2 one の意味

古英語の数詞 an からきている不定冠詞は，one (1 つの) の弱い意味となる。この用法は多い。

(8) This is the hydrogen atom: *a* proton in the center, and *an* electron whirling about it.

(これが水素原子で，陽子 1 つ電子 1 つからなり，陽子は中心に位置し，その周りを電子が回っている)

(9) These waves are concentrated into *a* sharp beam.

(これらの波は 1 本の鋭いビームへと集束される)

11.2.3 器具の前に付いて対照

器具の前には定冠詞が付くことが多いが，他の種類のものと対照して「…でなくて，…である」を意味する場合に a(n) を用いる。

(10) The sample was placed in *a* refrigerator overnight.

(試料は冷蔵庫内に一晩置かれた)

「倉庫とか他の場所でなく，冷蔵庫内に」のこと。

(11) *A* scintillation counter can distinguish between gamma rays of different energies.

(シンチレーション計数計で色々なエネルギーのγ線を選別できる)

11.2.4. 物質名詞に付く

不定冠詞が物質名詞に付いて，その物質の種類や製品や物質の一部を表わす。つまり，具象性を表わす。iron は「鉄」だが，*an* iron は「アイロン，はんだごて，鉄製品」になり，tin は「すず」だが，*a* tin は「ブリキ缶，すず製品」のことになる。他に *a* fire (暖ろ，たき火，かまどの火，火事)，*a* silver (銀貨，銀製品)，*a* cloth (布きれ，ふきん) など多い。(「可算語と不可算語」の項 (§3.6) 参照)。

(12) Fill *a glass* with water.

(コップを水で満たしなさい)

a glass は，ここでは「コップ」のこと。

(13) In 1938 Claude Shannon presented *a paper* that led to the use of Boolean principles in electronic computer circuitry.

(1938 年にクロード・シャノンは論文を提出し，この論文により，コンピューター回路 にブール代数の原理を用いるようになった)

a paper は，ここでは「論文」を意味する。

11.2.5. 抽象名詞に付く

数えられない抽象名詞について普通名詞化し，行為や装置を表わす。物質名詞の場合と同様，具象性が表出される。

(14) Many researchers claim *a success* in major animal surgery when it survives until immediately after the operation.

(動物が手術直後まで生き残れば，動物に関する大手術は成功したという研究者が多い)

Cf. All these differences weigh heavily against *success* with the animal operation.

(すべてこのような相違は，動物の手術の場合，非常に不利である)

(15) There is clearly *a danger* here that the high pressure will cause the die material to deform as well as the billet.

(高圧により地金棒と同様にダイスの材料が変形する危険は，ここでも，はっきりと存在する)

(16) When this method of production was first seriously discussed (it had been thought about in the last century, but has only become *a real possibility* in the last two decades) the claims for it were very enthusiastic.

(この製造法が始めて真剣に論じられた時(この方法は前世紀に案出されたが，実際に可能になったのは，この20年ほどにすぎない)，それに対する主張は非常に熱心だった)

(17) Data-logging by computer gives four main benefits in this case. First, it gives *a* better *understanding* of the changes and reactions taking place during the course of a melting cycle.

(コンピューターによるデータロギングは，この場合には4つの大きな利益をもたらしている。第1は，融解過程で起こる変化や反応について，より良い理解を与えることである)

他に *an* operation (活動，作業；仕事，手術)，*a* control [しばしば controls] (制御法，制御装置) など多い。

11.2.6 人名/製品名に付く

表1から分かるように人名にも不定冠詞がついて，*a* Mr.Trump は「トランプとかいう人」，He is *an Edison*. は「彼はエジソンの如き大発明家だ」と訳すのは誰でも知っていると思う。この他に，一人物や会社によって作られた製品を表わすときがある。

(18) *A Ford* was presented to the Prime Minister.

(首相にフォード自動車が贈られた)

11.2.7 色を示す名詞に付く

特別な色合，つまり，「濃い赤→ a deep red」のように，形容詞が付くとき，通常，不定冠詞がく。

(19) a) The house was painted in *a bright blue*.
(家は，明るい青に塗られた)
b) The liquid was *a reddish brown*.
(その液体は，赤褐色だった)

11.2.8 per (… につき) の意味

(20) a) forty miles *an hour* (時速 40 マイル)
b) one thousand yen *a pound* (1 ポンドにつき 1,000 円)
c) ten hours *a week* (1 週 10 時間)

ただし，100 rpm (毎分 100 回転)[*r*evolutions *p*er *m*inute] のような場合は 100 revolutions *a* minute とはあまりしない。つまり，「... に付き」を意味する a の格式語が per である。従って，percent は本来は per cent で cent につき (per) だった。数字のときは 100 rpm のように略字を使う。

11.2.9 any の意味

「どれでも」を表わし，種族全体を代表する意味の 1 個のものを表わす。*A* dog is a faithful animal. で，すでにおなじみのもので口語調である。堅い論文などでは The dog is .... を用い，種族の中でも例外が存在するような場合は Dogs are .... となり，他の種族と対比するようなときは The dogs are .... となる。なお, man と woman には, このようなときは a を付けない。

(21) *An oak* is harder than *a pine tree*. (樫(かし)は松よりも堅い)

(22) *An automobile* manufactured in Japan is much cheaper than *an automobile* produced in the United States.
(日本で製造される自動車は，アメリカで製造されるものよりはるかに安い) an automobile は automobiles が正しいかも知れない。

11.2.10 数詞の前

hundred, thousand, million, dozen などの前に使われて，one を意味する。one を使うと two を期待するので a が多用される。

(23) Each burst of waves lasts only about *a* millionth of *a* second, with pauses of a few thousandths of *a* second between bursts.
(それぞれの衝撃波は，100 万分の 1 秒ほどしか続かず，衝撃波間には 1,000 分の数秒の途切れがある)

(24) At times, during busy hours, *a dozen* or more planes may be circling above an airport, waiting to land.
(混雑している時には，ときによると，10 機かそれ以上の飛行機が，飛行場上空を旋回し，着陸を待っているかもしれない)

11.2.11 軽い a certain の意味

a certain よりも意味が弱い。

(25) In *a sense* the value might be correct.
(ある意味では，その値は正しいだろう)

(26) *A quantity* of the materials was delivered to the plant.
(多量の材料が工場へ送られた)

11.2.12 序数の前

序数には the が付くのが原則だが，不定冠詞がついて「別の，もう一つの」の意味を表わすことが多い。*a* second trial は「第 2 回目の試運転」というよりは「別の試運転」か「もう一度の試運転」と考えるべきである。

(27) *A second* smaller signal was generated just before the final increase in current.
(さらに小さい 2 回目の信号が，電流の最終増加の直前に生じた)

(28) In the first experiment, the water underwent a change of phase, but

in *the* second experiment, the water underwent a chemical change. The results of the two experiments are distinctly different. There are, however, recognizable similarities between the two experiments. For instance, a battery was used to produce both changes. *A second* similarity is detected most easily by what happens when liquid water is re-formed from the products of each of the changes induced by the battery.

（第 1 の実験では，水は相の変化を受けたが，第 2 の実験では，化学変化を受けた。この二つの実験の結果は明らかに異なっている。しかし，2 つの実験には類似点もいくつか認め られる。例えば，両方の実験の変化をバッテリーを使って起こさせた。もう 一 つの類似点は，液体の水が，バッテリーで起こるそれぞれの変化により生じる生成物から再生成されるときに起こる変化を調べることにより，たやすく検出できる）

(29) Unfortunately, however, many of the essays had important organizational problems. *A third* ingredient appropriate language was less of a factor because in most cases the judges were satisfied with the writers' English.

（しかし，残念ながら，多くの随筆には，重要な構成上の問題があった。もう一つの第 3 の要素，それは適切なことばだが，ほどほどの要因だった。大抵の場合，審査員は書いた人の英語に満足していたからである。）

11.2.13 最上級の前

序数の前と同様，最上級にも定冠詞 the が付く場合だけではなく，不定冠詞がついて「大変，非常に」などの意味になる。

(30) In terms of sheer quantity, fire-refining is probably *a most* important method, although it is by no means the most effective.

（純量の点から見れば，乾式精製法は，決して最高に効果的とは言えないが，恐らく，非常に重要な方法だろう）

11.2.14 修飾語句が後にくる場合

前置詞 of，in，from などや関係詞などを伴う名詞には，通例 the が付くと教えられているが，不定冠詞の例もかなり多い。

(31) A fixed relationship exists between the number of molecules in *a* sample *of* a gas and the volume of that sample for any given temperature and pressure.
（気体の試料中の分子の数と，与えられた温度と圧力に対するその試料の体積との間には，一定の関係が存在する）

(32) *A* small amount *of* sulfuric acid was added to the water.
（少量の硫酸が水に加えられた）

(33) Likewise, *a* system *made up of* hydrogen and oxygen must give up energy in order to form liquid water.
（同様に，水素と酸素からなる系が液体の水を作るためには，エネルギーを放出しなければならない）

(34) The two terminals of a battery were connected to *a* heating coil *which* was immersed in *a* beaker *of* water.
（ビ — カーの中の水に浸した加熱コイルに，バッテリーの 2 本の端子をつないだ）

(35) Each of the two terminals of the battery was connected to *a* metal plate *which* is called an electrode.
（バッテリーの 2 本の端子のそれぞれに電極と呼ばれる金属板をつないだ）

時には，無冠詞のときもある（§11.4 参照）。

11.2.15. 不定冠詞 + 複数名詞

(36) No metallurgical plant is just a collection of furnaces, mills, and forges. Such *a works* is a single organic whole, and it must be treated as such.
（金属工場は，炉や圧延機や鍛造機が，ただ集まったものではない。そのような工場は，単一の有機的統一体であって，また，

そのように扱わねばならない）

このような a works の用法は辞書や文法書にはあるが，不格好だから避けよ，と言われている。ここでも Such a plant / factory/place などのように補助語を用いるべきだろう。

11.2.16 a か an か

この 2 つの不定冠詞は，後に来る語の最初の音の発音が母音であるか子音であるかによって決まることは説明を要しまい。誤り易いものを挙げてみよう。

(a) eu- で始まる語に注意

(37) *a* eudiometer [jù:diɔ́mitə]（ユーディオメーター），*a* European [jùərəpí:ən] plan（ヨーロッパ方式），*a* europium [jùəróupiən]（ユーロピウム），*a* Eurovision [júərəviʒən] method（ユーロビジョン［ヨーロッパテレビ放送網］方式），*a* eutectic [ju:téktik] point（共融点）

(b) h- で始まる語に注意

(38) *a* half [hɑ:f]（半分），*an* honest [ɔ́nist] weight（正しい重量），*a* honeycomb [hʌ́nikoum]（ハチの巣），*an* honorable [ɔ́nərəbl] gentleman（りっぱな紳士），*an* honorary [ɔ́nərəri] degree(名誉誉学位），*a* hotel [houtél]（ホテル），*an* hour [áuə] (1 時間）

(c) u- で始まる語に注意

(39) *a* udometer [ju:dɔ́mitə]（雨量計），*a* unicycle [jú:nisaikl]（一輪車），*a* uniform [jú:nifɔ:m] climate（類似の気候），*a* unidirectional [jù:nədirékʃənəl] layer（一方向層），*a* union（ユニオン継ぎ手），*a* unit (単位)，*a* universal coupling (自在継ぎ手)，*a* urethane [jùəriθéin]（ウレタン結合），*a* usable dimension (有効寸法)，*a* utility pipe（ユーティリティー・パイプ）

子音で始まる語は，すべて a である。

(d) y- で始まる語に注意

(40) *a* yellow [jélou] index（黄色度指数），*an* ytterbic [itə́:bic] stone

（イッテルビウム石）

(e) アルファベット文字で始まる語に注意

(41) *an* H- [eitʃ] bomb（水素爆弾），*an* M figure (M 字)，*an* O-ring (O リング)，*a* U- [juː] tube (U 字管)，*an* X-ray (X 光線)，*a* Y- [wɑi] valve (Y 形弁)

(f) ギリシア文字の前に注意

(42) *a* β [bíːtə] mark（ベータ印），*a* π[pai] electron (π 電子)，*an* ω [óumigə] value (ω 値)

母音で始まる語はすべて，an である。

11.2.17 科学・技術分野に頻出するイディオム (1)

after a while（しばらくして）

as a consequence of ...（…の結果として）

as a result of ...（…の結果）

as a rule（概して）

as a whole（全体として）

as an alternative to ...（…の代わりに）

at a discount（割り引きして）

at a distance（少し離れて）

at a glance（一目で）

at a leap（一飛びで）

at a time（一度に）

bear a relation to ...（…に関係を持つ）

by a factor of ...（…の倍率で）

a considerable body of ...（かなり多くの…）

for a cirtainty（確かに，うたがいなく）

for a moment（ちょっとの間）

for a/some time（しばらくの間）

for a while（しばらくの間）

a good/great deal of ...（多くの…）

a great number of ... (多数の…)

a great variety of ... (さまざまの…)

have a care (用心する)

have a right (権利がある)

have a talent for ... (…の才能がある)

have a taste for ... (…の趣味がある)

in a breath (一息で)

in a great/large way (大規模に)

in a degree (少しは)

in a hurry (あわてて , 急いで)

in a manner (ある意味では，いくぶん)

in a moment (たちどころに)

(be) in a position (to do ...) (…することのできる立場にある)

in a regular manner (普通の方法で)

in a small way (小規模に)

in a state of ... (…の状態で)

in such a case (そういう場合には)

in such a manner (そのような方法で)

in such a way (そういう方法で)

in a way (ある点で，ある意味では，いくぶん)

in a while (まもなく)

in a word (一言で言えば)

make it a rule to ... (…するのを常とする)

make a movement (運動をする)

a matter of course (当然のこと)

a number of ... (多くの…)

... of a certain nature (ある性質の…)

... of a size (同じ大きさの…)

on an average (平均して)

on a large scale (大規模で)

on a level with ... (…と同一水準で)
on a par with ... (…と同様 / 同等で)
on a sudden (突然に)
quite a few of ... (かなり多くの…)
take an interest in ... (…に興味を持つ)
to a certain extent (ある程度まで)
to/for/of a certainty (確かに，明らかに)
to a degree (とても)
to a certain degree (ある程度まで)
to a great extent (大いに)
with a view to ... (…の目的で)

11.2.18 不定冠詞から逃れる方法

native speaker of English でさえも冠詞の用法に混乱することがあるといわれている。われわれは，いろいろなルールを記憶するばかりでなく，確信のないときは信頼のおける辞書で調べることはすでに述べた。調べることが出来なく，自信がなかれば無冠詞を勧める。しかし，単数，複数だけは明確にするべきである。

ただ，次のように，うまく逃げる方法もある。

- The parts rotating *at a nigh speed* must be well lubricated. (高速度で回転している部分は十分に潤滑しなければならない) の文で，仮に *a* high speed か high speed かに自信がなければ *High-speed rotating parts* must be well lubricated. と前位修飾の形にすれば冠詞の心配もなくなる。
- A generator in *perpetual motion* was installed in the plant. (休みなく働く発電機が工場に設置された) の文で in perpetual motion か in a perpetual motion かに自信がなければ *A perpetual-motion generator* was installed in the plant とすれば良い。

11.3 定冠詞

11.3.1 導入の定冠詞

科学・技術分野では，あまり用いられない。

11.3.2 相手に認識されている場合

不定冠詞 a(n) で紹介しておいて，相手に認識させ，その後で the を用いる場合である。「導入の不定冠詞」(§11.2.1) 参照。

11.3.3 this, that の弱い意味

指示形容詞 this，that の弱い意味に用いられる。この意味から派生したために，「その，この」の意味をそのまま保存していることが多い。

(43) Certain metals can be electroformed—particularly copper and nickel. *The process* works on the same principle as electroplating, but in this case *the metal* is allowed to deposit to a much greater thickness, say half an inch.
(ある種の金属は，電解成形をすることができる — 特に銅とニッケルに用いられる。この方法は電気メッキと同じ原理で加工するのであるが，この場合には，その金属は遥かに厚く，例えば，半インチも付着させることができる)

(44) *The experiment* will be explained in the next chapter.
(この実験は，次の章で述べる)

11.3.4 総称の定冠詞

冠詞の基礎でよく勉強する例に *The horse* is a useful animal. がある。これは「馬というもの(をわれわれは知っているが，「それは(種族として)有用な動物である」と，その種族の中の一匹が，種族全体を代表している言い方で，文語調の表現法である(11.2.9 参照)。この総称の the は科学・技術分野ではどういう場合に用いられるか，次に紹介する。

11.3.4.1 発明品

(45) Credit is given to Edison for the development of *the electric-light bulb*.
(電球の開発の功績は，エジソンに与えられる)

(46) *The modern regular camera* is either a roll-film camera or a miniature camera using a cassette of film 35 mm wide.
(現在の普通のカメラはロール・フィルム型か 35 ミリ幅のフィルムのパトローネを利用した（ひぜん）小型カメラである)

11.3.4.2 動物の種類

(47) a) *The cow* gives us milk. (雌ウシは乳を与えてくれる)
b) *The elephant* has two tusks. (ゾウには 2 本の牙がある)
「雌ウシというものは」「ゾウというものは」のということを表す。

11.3.4.3 植物の種類

(48) *The rose* has a beautiful perfume. (バラは香りがすばらしい)

11.3.4.4 楽器

(49) The computer can play *the piano*. (コンピューターは，ピアノを弾くことができる)

11.3.4.5 尺度 / 重量の単位

(50) Sugar is sold by *the pound* at that store. (砂糖は，あの店ではポンド売りである)

(51) We must hire this car *by the hour*. (この車は，時間ぎめで借りねばならない)

11.3.4.6 病名

以前は the を付けたと言われているが，現在は無冠詞が多い。しかし，中には定冠詞を付けるものや，不定冠詞を付けるものがあるので辞書で一つ一つ当たることを勧める。

定冠詞の付くものに，次のようなものがある。

(52) the ague (悪寒), the gout (痛風), the itch (皮癬，疥癬, the palsy (中風), plaque (ペスト), the rheumatism (リューマチ), the smallpox (天然痘)

ただし，rheumatism, smallpox など無冠詞の場合が多い。

また，以下のように複数形に定冠詞の付くものもある。

(53) the dumps(ゆううつ症), the horrors (恐怖感), the measles (はしか), the piles (痔)

11.3.5 修飾語句が名詞に後置する場合

前置詞 of や in，関係詞や，その他の修飾語句によって，その前の名詞が限定され，定冠詞が付くことが多い。しかし，制限的な句や節がついても，必ずしも定冠詞は付かないことに注意すべきである。(§11.2.14 参照)。

(54) Both *the* velocity method and *the* dilution method explained in Chapter 2 are now used in electric power stations to measure *the* rate *of* flow of *the* water *which* cool the generating turbines.

(第 2 章で説明した流速法と希釈法は，現在，発電所において，発電用タービンを冷却する水の流速を測定するのに使われている)

(55) *The* difficulty *in* the light-scattering experiment lies in *the* need *for* removing all dirt, dust, and other unwanted material from the polymer solutions prior to their measurement.

(光散乱実験で困難な点は，測定に先がけて，高分子溶液からあらゆる不純物，ごみや不要なものを除く必要があることである)

11.3.6 固有名詞の前

人名や家名，社名や雑誌や新聞名の前の定冠詞について考えてみよう。残念ながら一定のルールがないので，それぞれの会社の決めに従うべきである。従って，相手の会社に聞くなり，手紙の letterhead なりから，正しい名称を知るしか方法がない。

昭和かそれ以前は，銀行名は The Bank of で始まっていたが，現在は ABC Bank の形が多い。大学名も The University of Michigan と The University of の形が多かったが，現在では Texas State University の形が多い。The Bank of ... や The University of ... の形は「唯一」を意味するので，このような考えを与えないためから，使用されなくなったようだ。

11.3.7 習慣で用いられる場合

以上のほかに，伝統的に用いられている場合を整理してみよう。

11.3.7.1 国名と地名

sea, ocean, cape などのような，本来の普通名詞が，その中に感じられるようなもの。

(56) *the* Black Sea (黒 海), *the* Suez Canal (ス エ ズ 運 河), *the* United Kingdom (of Great Britain and Northern Ireland),, *the* United States of America (ア メ リ カ 合 衆 国), *the* Union of Soviet Socialist Republics (ソビエト社会主義共和国連邦), *the* United Kingdom (連 合 王 国), *the* Netherlands (オ ラ ン ダ), *the* Philippines (フィリピン群島), *the* Alps (アルプス山脈), *the* Rocky Mountains (ロ ッ キ ー 山 脈), *the* Ryukyus (琉 球 列 島), *the* West Indies (西インド諸島), *the* Pacific (Ocean) (太平洋), *the* Atlantic (Ocean) (太西洋), *the* Japan Sea (日本海), *the* Persian Gulf (ペルシャ湾), *the* Bay of Tokyo (東京湾) [Tokyo Bay とすれば無冠詞], *the* English Channel (イギリス海峡), *the* Cape of Good Hope (喜望峰), *the* Sumida River [the River

Sumida, the Sumida] (隅田川), *the* Mississippi (ミシシッピー川), *the* Malay Peninsula (マレー半島)

ただし , Lake Biwa (琵琶湖), Lake Michigan (ミシガン湖)。港の名称にも通常 the は付かない : Yokohama Harbor (横浜港), Kobe Harbor (神戸港), Plymouth Harbor (プリマス港)

空港にも通常 the は付かない : Tokyo International Airport (東京国際空港), Detroit Metropolitan Airport (デトロイト空港)

公園，停車場，橋などにも通常 the を付けない。道路では Road が付くものに the の付くことが多い : the Dover Road, the West-Minster Road。

アメリカの通りには，よく序数が用いられているが the は付けない：Fifth Avenue, Thirty-Third Street

11.3.7.2 船，鉄道，航空絡

通常，the が付く。*the* Hikawa Maru, *the* Shinkansen, *the* New Tokaido Line (東海道新幹線), *the* Trans-Atlantic Line (大西洋横断航路), *the* Haneda-Okinawa Line

ただし，複数形になれば the を付けない : American Airlines, British Airways, Zelta Air Lines

11.3.7.3 公共の建物

公共のビルには, 通常 the を付ける : *the* Foreign Office (外務省), *the* British Museum (大英博物館)

11.3.7.4 辞書，書籍，定期刊行物

辞書や書籍名には，the の付くものと a(n) の付くものと，無冠詞があるので引用する際は表紙に印刷されている通りの名称を用いること。そして，書名に定冠詞が付いていれば *The American College Dictionary* のように定冠詞もイタリック体にし，*An English Collocation Dictionary for Business, Science, and Technology* のように不定冠

詞が付いていれば，不定冠詞もイタリック体にする。無冠詞の場合は I consulted the *Webster's Third New International Dictionary* のように the をイタリックにしない。定期刊行物は，通常，the を付ける：*the Manchester Guardian*，*the Dairy Mail*。

11.3.8 a(n) か the か

不定冠詞と定冠詞の用法を述べたので，a(n) か the かの問題を扱ってみよう。初めて，ある物のことを書く時で，読み手が分かっていない時は a(n) を使い，読み手がそれと分かっている時ば the を使うことはすでに述べた。次に冠詞を削除した英文を示す。a(n) か the かを考えながらカツコ内に入れてみよう。

(57) For example, (ア) light bulb may be lighted or (イ) door bell may be rung when either is connected to (ウ) wires leading from (エ) zinc metal and (オ) copper metal.
(例えば，亜鉛と銅から導線を引き出してつなげば，電球は点灯し，ドアのベルは鳴る)

(ア)は特定の light bulb でないので the でなく a である。(イ)も同じ。(ウ)は leading で限定されており，「その(線)」のことだから the，(エ)と(オ)もこの実験装置の zinc metal と copper metal のことだから the である。

(58) (ア) use of (イ) voltmeter and (ウ) ammeter may be clarified by describing (エ) specific case.
(電圧計と電流計の使用法は，ある特別な場合を説明することにより明らかにすることができる)

(ア)に a を入れれば「ある使用法」のことになり，the を入れれば「決まった使用法」になるので the を入れたい。(イ)と(ウ)は器具の前につく the である。(エ)は「ある一つの」のことだから a である。

(59) Metal fatigue has been made famous by (ア) aircraft industry because (イ) effects have been (ウ) most dramatic, but it is no less common

in other environments. Whenever (エ) component is subjected to (オ) large number of stress oscillations, there is (カ) danger that eventually it will become fatigued and snap with little or no advance warning.

(金属の疲労は航空機産業によって有名になったのは，その影響が最も劇的だったからである。しかし，他の分野でも珍しいということではない。ある要素がかなり多くの応力振動を受けると，結果的には疲労するようになり，ほとんどなんの微候もなく折れる危険がある)

(ア)はtheでevery; allの意味。(イ)はtheでは弱すぎる。itsが良い。(ウ)は次に最上級がきているのでtheが良いだろう。(エ)は「ある」(a certain)のことだからa，(オ)はa large number ofの熟語。(カ)はthat節に限定されているがtheでは「いつもの，例の」(you know which one I mean)のことになりまずい。aである。

11.3.9 定冠詞か人称代名詞か

定冠詞の代わりに用いられる人称代名詞といえば，所有格となるは当然だが，両者の選択により，内容が異なることがある。次の(60)と(61)を比較されたい。

(60) *Our* third main method for recovering metal from a leach solution is to use electrical energy.

(浸出液から金属を回収するのに，われわれが用いた第3の主要な方法は，電気エネルギーを用いることである)

(61) *The* last main shaping process is referred to as powder metallurgy.

(最後の重要な加工方法は，粉末冶金法といわれるものである)

(60)でOurのかわりにTheを用いると行為者がわからなくなる。(61)ではTheのかわりにOurでも良いが，(60)のような内容になる。しかし，*The* last main shaping process *we should mention* is .... のことであるので，*Our* last main shaping process we should mention is .... では意味上weがだぶることになり，まずいことは容易にわかろう。

仮に，The repairperson said that the machine failure was caused by *your* careless operation.（機械の故障原因は，あなたの不注意な操作のためであると修理者は言った）では，人称代名詞の you を非難することになる。your のかわりに a を用いると相手は救われよう。いずれにしろ，これらは，ちょっと内容を考えれば解決する問題である。

11.3.10 科学・技術分野に頻出するイディオム (2)

at the expense of ...（…の費用を払って，…を犠牲にして）

at the moment ...（今）

at the point of ...（…の間際で）

at the time（その時は）

beside the question（本題をはずれて，不適切な）

by the application of ...（…の応用 / 使用によって）

by the day（日ごとに）

by the dozen（1 ダースいくらで）

by the hour（1 時間いくらで）

by the time（時まで）

for the moment（さしあたって，当面）

in the absence of ...（…がない時には）

in the afternoon（午後に）

in the daytime（昼間に）

in the distance（遠方で）

in the end（ついには , 結局は）

in the evening（夕方に）

in the form of ...（…の形で）

in the morning（朝に）

in the presence of ...（…の面前で，…に直面して）

in the rain（雨の中を）

in the sun（日なたで）

in the way（邪魔になって）

in the wrong (間違って)
on the assumption that ... (…という仮定のもとに)
on the contrary (これに反して)
on the one hand (一方では)
on the other hand (他方では)
on the part of ... (…の方では)
on the way (途中で)
on the whole (全体として)
out of the question (問題にならない，とても不可能で))
to the extent of ... (…の範囲で，…の程度まで)
to the full (十分に)
to the letter (文字通りに，精確に)
to the point (要領を得て，適切な)
up to the moment (現在に至るまで)

11.4 無冠詞

次のような場合に無冠詞になる。

11.4.1 専門用語の前

他の用語と混同される恐れのない普通名詞の前では，冠詞は省略される傾向が強い。この傾向はアメリカの説明書に多い。カッコ内の冠詞は正しくは必要である。

(62) Check (the) double tooth pawl 18 to see that (the) lower tooth is in (an) even line with (the) type bar Carrier Arm Pawls. (The) proper positioning is obtained by forming (the) Carriage Return Lever Shelf 19.
(ダブル・トゥース・ポール 18 を点検して，下段のトゥースがタイプ・バーのキャリア・アーム・ポールと一直線となっていることを調べなさい。キャリジ・リターン・レバー・シェルフ 19 の形を直せば，正しい位置が得られます)

11.4.2 物質 / 材料を表わす名詞

通常，物質名詞は無冠詞である。不定冠詞が付いたり，複数形では，その製品などを表す普通名詞になる。

(63) The table is made of *wood*.（そのテーブルは木製です）

(64) The exact quantity and quality of *iron* coming from the blast furnace, or *steel* coming from a converter, are unknown until they actually arrive.

（溶鉱炉から出る鉄や転炉から出る鋼の正しい量と質は，それらが実際に出て来るまでは分からないのである）

(64) は coming from で限定されるので iron と steel に the が欲しいところであるが，the がないので鉄製品でないことが明確である。

11.4.3 2 個の名詞が対語のとき

(65) The hardest thing is to classify *electron and proton*.

（いちばん大変なことは，電子と陽子を類別することである）

11.4.4 by+ 名詞

(66) a. Electric power can be transmitted *by* wire.（電力は電線で送電できる）

b. by elevator（エレベーターで），by telephone（電話で），by train（列車で）

しかし，特定化したり「1 台の…」の時は by the train，by a train のように冠詞が現われる。

11.4.5 抽象的意味に使われる状態 / 性質を表わす名詞

次のような名詞が通常，無冠詞である。

(67) activity，approach，behavior，content，distance，drop，equilibrium，flow，height，rate，ratio，shape，size，temperature，transfer，volume など。

(68) The substitution of morality for *activity* under these conditions is ....

（モル濃度をこのような状態の活量に置換することは…である）

(69) There began an intensive program of *investigation* into the characteristics and patterns of *behavior* of metals at high strain rates.

（高い歪み率における金属の挙動の特性とパターンを研究する強力なプログラムが始まった）

(70) Ordinary ice is in *equilibrium* with water vapor and liquid water at +0.0077℃ under a pressure of 4.579 mm.

（普通の氷は，4.579mm という圧力の下で +0.0077℃ では，水蒸気と液体の水と平衡状態にある）

(71) The function of the wire conductor is to connect a source of applied voltage to a load resistance with minimum *IR* voltage *drop* in the conductor.

（導線は，供給電源と負荷抵抗とを，導線内の電圧降下が最低 IR で接続する役目をする）

(72) The hole of the device is usually of larger *size* for convenience.

（便利さを考えて，その装置の穴は，通常大きくなっている）

(73) Certain alloy phase soluble at elevated temperatures can be made to come fully or partially out of solution as a hardening dispersion at room *temperature*.

（温度を上げると溶け合うある種の合金相は，室温で全部もしくは一部が析出し，硬化分散するように作れる）

(74) Light is a form of energy *transfer* between two objects.

（光は，2 つの物体間に生じるエネルギー移動の一形態である）

11.4.6 修飾語句が名詞に後置する場合

§11.3.5 で述べた「定冠詞の限定」と矛盾するが，名詞の後に修飾語句や節がきても，その名詞に冠詞がつかないときがある。定冠詞がつくときは，やはり限定性が強く，「例の，あの，いま話題にしている，読者のあなたご存じの」くらいの気持を読者に与えているといえよう。与えたくないので無冠詞である。

(75) Automatic control *of* the transport of material between stages of the process presents no great difficulties, since most plants already have motorized continuous transfer equipment.
(材料を工程間で移すための自動制御は，それほど難しくないというのは，殆どの工場で自動連続輸送設備をすでに設置しているからである)

(76) Physical removal *of* gangue has three major functions.
(脈石の物理的除去には，3つの大きい機能がある)

(77) Conversion *of* the sintered mineral to metal needs an input of energy.
(焼結した鉱石を金属にするには，エネルギーの供給が必要となる)

(78) There is the trouble caused by the very different coefficients of thermal expansion *of* metal and fibers.
(金属と繊維の熱膨張係数の相違そのものによって障害が起こる)

(79) As we saw, working *carried out* below this temperature creates large numbers of dislocations and other crystal faults.
(既に分かったように，この温度以下で加工すると，非常に多くの転位や他の結晶の欠陥が生じる)

11.4.7 in/under+名詞

by car (自動車で)，by computer (コンピューターで)，on foot（徒歩で）のように「by+無冠詞」と同様に,「in+無冠詞」(…において),「under+無冠詞」(…中の)も多い。

(80) in accuracy，in degree，in energy，in form，in height，in intensity，in number，in length，in service，in shape，in strength，in value，in weight など

(81) under consideration (考慮中の)，under construction (工事中の)，under cultivation (耕作中の)，under discussion (論議中の)，under experiment (実験中の), under operation (手術中の, 使用中の),

under power (力の働いている), under repair(s) (修理中の), under study (研究中の), under test (試験中の) など

これらは，on earth などと同様，idiom 化からの冠詞の脱落と考えられる。

(82) The sample was angular *in shape*
(試料の形は，角ばっていた)

(83) A contraction *in volume* and an evolution of heat will be expected in mixing them.
(量の縮小と熱の発生が，それらを混合するときに期待されるだろう)

(84) The individual particles are actually welded together, either by heating the compact *under pressure*, or by fusion welding brought about by very high pressures alone.
(加圧下で充てん物を加熱するか，非常な高圧だけで，もたらされる溶接により，個々の粒子は実際に溶接される)

(85) Narrow epoxy-resin strips are cemented to the surface of the body *under study*.
(エポキシ樹脂の細長い細片が，研究中の物体の表面へ接着される)

11.4.8 page や Table などの前

chapter, equation, figure, formula, fraction, line, page, table, type などの次に数詞が来ると，これらの前の冠詞は省略されることが多い。

(86) The general method is explained on *page 50*.
(一般的方法は，50 ページで説明されている)

(87) The values *a* and *b* are different from *a'* and *b'* of *equation 11*.
(a と b の値は，方程式 11 の a' と b' の値とは異なる)

(88) The stress curve is shown in *Fig. 46* (*a*).
(歪曲線は，図 46(a) に示されている)

Figure 5 や Table 5 などが小文字で始まると the を冠することもある。

以上は，目安を述べたものであるから，実際の場合には，信頼のおける辞書に一つ一つ当たることが望ましい。なお，この他の点については拙書『科学・ビジネス英語活用辞典』（研究社）や『科学技術英語の正しい訳し方』(南雲堂)を参照されたい。

12. 分詞

12.1 名詞＋分詞＋名詞

科学・技術英語では，「電圧調整回路」，「綿で被覆(ひふく)してある線」を，それぞれ，circuits which regulates voltage ，あるいは，circuits regulating voltage，a wire (which is)covered with cotton の形で表現しないで voltage-regulating circuits, a cotton-covered wire の形をとる場合が多い。すなわち，最初の名詞を N1，分詞の後の名詞を N2 とすると，普通の文では，分詞は N2 を目的語として N1 にかかるのが常態のようだが，科学・技術文では，逆に，N1 が分詞を修飾するような形になる場合が多い。不要語の省略といえよう。

(1) Tube 1 is the *error-detecting device*.

(誤差検出装置が，チューブ 1 である)

(2) This circuit, called the bridge rectifier, requires four diodes, but it has the advantage that a *center-tapped transformer* is not required.

(この回路はブリッジ整流器と呼ばれ，ダイオードを 4 つ必要とするが，中間タップのある変圧器を必要としない利点がある)

これらの例のように，分詞の前にハイフンがあれば問題はないが，sunlight *reflecting* mirrors (日光を反射する鏡) とか the company's eight *fixed* open hearth steel *melting* furnaces (「前位修飾」(§16.2) 参照) のようにハイフンのない場合は非常に困る。そして，ハイフンのないケースが多いのである。ハイフンが無いときは，内容から判断しなければならない場合が多いが，判断できない場合もあるので，ハイフンを正しく用いるべきである。なお, ハイフンの用法については §19.7 を参照されたい。

12.1.1 現在分詞の構文

(3) The pilot in an airplane equipped with radar, flying at night, can see on the *radar viewing screen* distant buildings, or a dangerous mountain peak that is miles ahead.

(レーダー装置を装備した飛行機に搭乗しているパイロットは，

夜間飛行中，遠くの建物か数マイル先の危険な山頂をも，レーダー受像スクリーン上に見ることができる）

(4) In this new position the *plunger operating lever* contacts the edge of the block soon, thus reducing the stroke for hot weather operation.

（この新しい位置では，プランジャー作動レバーがブロックのへりに，やがて接触するので，気候の暑い時は行程が減ることになる）

(5) Wind *the input and output tuning coil, #14 tinned copper wire.*

(14 番のすず鍍金のしてある銅線で入出力同調コイルを，巻きなさい [作りなさい])

なお，このような分詞の前に句になった専門用語がくると，その語が専門用語とはっきり分かる場合はハイフンで結ばなくても良いが，正確を期するために，次のように，ハイフンで結んだケースもある。誤解されないためにも，ハイフンで結ぶことを勧める。

(6) The reflected waves, moving back to the radar set, are received and translated into a tiny spot of light on the *cathode-ray-tube viewing screen.*

（レーダー装置に戻る反射波は，受信されて，陰極線管受像スクリーン上で , 小さな光の斑点に変えられる）

「テレビのブラウン管 (Braun tube)」は，cathode-ray tube と言う。(television) picture tube とも言う場合があるが，「ブラウン」とは発明者であるドイツの物理学者 Karl Ferdinand Braun (1850-1918) の名である。

12.1.2 過去分詞の構文

(7) Joseph Glidden, an Illinois farmer, solved the problem in 1873 by inventing *steel barbed wire* fencing.

（イリノイ州の農場経営者J・グリデンは，鋼鉄製有刺鉄線のかき根を発明して，1873 年にこの問題を解決した）

(8) The position of the Stop Ear Bracket (3) is a *factory determined adjustment* and it, as well as the carrier guide, must be left alone.

(ストップ・イヤー・ブラケット(3)の位置の調整は工場で行なうので，キャリア・ガイドと同様，いじってはならない)

アメリカ Texas 州で発行された自動車の Drivers' Textbook に，次のような文がある。

(9) *Farm registered vehicles*, in addition to use for farm and ranch purposes, may be used as a means of passenger transportation.

(農業用として登録してある車でも，農場および牧場で使用するほかに，人を乗せる手段として使用もできる)

現在分詞形の場合と同様に，形の上からこれらの内容を正確に理解する1つの手がかりは，N1の前の冠詞やN2の複数形である。分詞とN2だけで1つの専門用語を形成しているものに，N1が修飾語として置かれてできた語句には，circuit changing switch (切換えスイッチ), telephone switching office (電話交換局), belt insulated cable (ベルトケーブル), ground reflected wave (地面反射波)のように，分詞の前には，通常，ハイフンがない。

12.1.3 分詞の省略

「分詞の省略」の構文は分詞を省略しても内容の変わらないものもあれば，変わるために省略できないものもある。

(10) A radar set includes a transmitter and receiver. The transmitter works somewhat like a *radio broadcasting station*, but the receiver operates more like a television receiver and translates the echoed radio waves into a sort of picture.

(レーダー装置には発信機と受信機が付いている。発信機はラジオ放送局に似たような働きをする。受信機はテレビ受像機にいっそう似た作用をし，反響して帰ってくる電波を一種の画像に変える)

「(ラジオ)放送局」は，かつては radio broadcasting station と言ったが，今では radio station である。broadcasting が N1 と N2 の間に入ると「今放送している放送局」のことになりかねない。先にあげた radar viewing screen も同じことが言える。これらが「放送する(局)」,「受像する(スクリーン)」の意味を表わす時に使われれば,蛇足だろう。

(11) "Blind bombing," which enables the outlines of a target to become visible [on a *radar screen*] no matter whether it is pitch-dark or whether the target is masked by clouds or by a smoke screen, was....

(「ブラインド・ボミング」は,真暗闇であっても,目標が雲か煙幕で隠ぺいされていても,目標の輪郭を[レーダーの受像スクリーン上に]見ることを可能にするが,それは…)

この例でも分詞を用いて radar viewing screen にしても良いが,「レーダーを観測する受像スクリーン → レーダー受像スクリーン」のことなら用いない方が良いだろう。一般に,このような場合に分詞を用いると説明的色彩が強くなる。「名詞の形容詞用法」(§3.4)の項を参照。

capacity-*loaded* antenna(容量装荷アンテナ), gear-tooth *burnishing* machine(歯車すり合せ盤), spark-*quenching condenser*(火花消去コンデンサー), velocity-*modulated* tube(速度変調管), voice-*operated* gain-*adjusting* device(ボガード), water-*purifying* device(浄水装置)などでは,分詞を省略すると,元の内容を完全に失ったり,何のことか分からなくなるが, oil-*burning* stove, hand-*operated* gear, T-*shaped* plunger などでは分詞を省略して oil stove, hand gear, T-plunger としても内容は変わらない。しかし,常に決まって用いられる専門用語は,勝手に分詞を入れたり,省略しない方が良い。

N1 と N2 を逆にすると,科学・技術文としての性格を失うケースが多いので注意されたい。特に,専門用語は勝手に逆にできない。例えば, yarn twisting machine(ねん糸機), water-cooled transformer(水冷変圧器)などを machine twisting yarn, transformer cooled by water にすると内容が変るばかりか,説明的になり, 1 つの部品名でなくなる。

12.1.4 N1 が他品詞に

N1 が他品詞に代わる場合も非常に多い。コンパクトに表現できるので，英訳するときに極めて便利である。「前位修飾」(§16.2) の項で触れなかったので，参考までに散見する語句を述べる。

12.1.4.1 N1 が形容詞

(12) a) the *bad*-smelling powder (悪臭のする粉末)
→ the powder that smells bad

b) the *good*-tasting cigarette (味の良いたばこ)
→ the cigarette that tastes good

c) the *high*-pitched sound (かん高い音)
→ the sound that has a high pitch

d) the *loose*-working hinges (ぐらぐら動く蝶番)
→ the hinges that work loose

e) the *smooth*-running engine (円滑に動くエンジン)
→ the engine that runs smooth

12.1.4.2 N1 が副詞

(13) a) the *brightly* lighted room (こうこうと輝く部屋)
→ the room that is brightly lighted

b) the *electrically* driven device (電動装置)
→ the device that is driven electrically

c) the *fast* walking robot (速く歩くロボット)
→ the robot that walks fast

d) the *newly* painted house (新しくペンキを塗った家)
→ the house that is newly painted

e) the *quick* starting car (出だしの速い自動車)
→ the car that starts quickly

f) the *slow* burning liquid (燃焼の遅い液体)
→ the liquid that burns slowly

(13) e)，f) の副詞，quick，slow，は分詞の前で -ly が付かないことが多い。また，分詞が，次のような形容詞などに代わる場合も多い。

(14) a) the four-*lane* expressway (4 車線の高速道路)

→ the expressway that has four lanes

b) the light-*sensitive* paper (光に敏感な紙)

→ the paper sensitive to light

c) the razor-*sharp* chisel (かみそりのように切れるのみ)

→ the chisel that is as sharp as a razor

d) the foreign-*style* house (外国式の家)

→ the house that is built in foreign style

これらの構文は多種多様にわたっているのが現状である。分詞をはさんで N1 と N2 の位置が逆になると解説的表現になり，しまりがなくなると言えよう。従って，まとまった概念を表わしたいときとか，部品名，製品名などでは「N1+ 分詞 +N2」の形が正常である。

12.2 分詞構文の位置

Looking into the room, I found nobody there. のような文を接続詞を用いて書き直すとき，文頭に when が来るのか，as か，while か though か after か，などと悩まされることがある。このように明確性を欠くところに分詞構文があるから，科学・技術文では文頭に分詞構文はあまり用いないほうが良い。

一般に，複文 (complex sentence)，あるいは重文 (compound sentence) を分詞を用いて単文 (simple sentence) に書き換えると,「より文語的」な表現になる。例えば,「その装置を取り付けたところ消費電力は，さらに 5% 減少した」という文を，普通の口語体では (15a) の複文の形になる。この副詞節を分詞で書き換えると (I5b) になる。

(15) a) When we installed the unit, we could reduce power consumption by another 5%.

b) *Installing* the unit, we could reduce power consumption by another 5%.

同様に，

「この材料は熱膨張係数が小さいので良好な断熱材である」も

(16) a) This material is a good heat insulator since it has low thermal expansion coefficient.

b) This material is a good heat insulator, *having* low thermal expansion coefficient.

c) This material, *having* low thermal expansion coefficient, is a good heat insulator.

となる。このように，分詞構文は，文頭にも，文中にも，文尾にも置かれる文では文尾に置かれる構文が多い。これはプロセスが起こる順に述べ，前文の結果を分詞構文で始まる句で説明することが多いからである。

(17) The saw moves as a solid saw against the wood, *cutting* the wood with mechanical energy.

(のこぎりは木材に対して，固体ののこぎりとしての運動をし，機械エネルギーで木材を切る)

(18) The soft iron end of the clapper is drawn toward the electromagnet, *causing* the clapper to strike the gong.

(クラッパーの軟鉄の端が電磁石の方へ引き寄せられ，クラッパーがゴングを打つことになる)

これらの例から，主節の結果を分詞で始まる句が説明していることが分かる。

文頭の場合，because，if，when などの意味をはっきり表現するために，分詞の前にこのような接続詞を置くことが多い。また，after，before，in，on などの前置詞を置いて動名詞化したケースも多い。すべて，正確な表現の一助になっている。なお，接続詞 as は when，while，since，seeing that などを意味し，口語であり，あい昧だから，できる限り避けた方が良い。

(19) *Before describing* the details of the method, we would like to comment briefly on the general approach to the dynamic test.

(この方法を細部にわたり述べる前に，筆者たちは，動的試験にと

られている一般的な方法に関して簡単に述べたい)

(20) *In starting up* a plant, it is normal practice to use manual controls until flows and operating conditions are properly leveled out.
(工場を始動させるに際し,流れや操作状態が全く一様になるまで,手動制御装置を使うことが通常の慣例である)

12.3 分詞の表わす 3 つの意味

文尾に置かれる分詞構文は,一般に,次の 3 つの意味を持つ。

① 理由を表わす節の代用となる

② 重要事項を主節で述べ,and で始まる節の代用として主節の内容を説明する。

③ 主節の結果を表わす

次に,それぞれについて説明する。

12.3.1 理由を表わす節の代用

主節の事柄の原因 / 理由を説明したり,証明したりする働きをする,接続詞に直すと since になる。

(21) Thus, programming is an art, in that it permits one's imagination to combine basic steps in an endless variety of ways. It is also a science, *requiring* the use of logic in analyzing problems and outlining operation sequences.
(従って,プログラムを作ることは芸術であって,われわれの想像力により基本的なステップを無限のさまざまな方法で組み合わせることができる。プログラムを作ることは科学でもある。なぜなら,いろいろな問題を分析し,操作手順を分析するとき,論理的方法を用いることが必要となるからだ)

requiring は *since* it (=programming) *requires* のことである。

12.3.2 and で始まる節の代用

(22) A data channel is a device that connects input and output units with

the central processor, *forming* a data path to transmit information independently of computing.

(データ・チャネルは，入出力装置を中央処理装置と結ぶ装置である。そして，計算とは独立して情報を送るデータの路を造っている)

forming は *and* it (=the data channel) *forms* のことである。なお and で始まる節の代用の場合には，主節と従節で主語の異なるときが多い。

(23) The terminal marked "C" (common) connects to one of the two speaker transmission line conductors, The other line conductors connects to any one of the other speaker terminals, the selection *being* made after the load (speaker) impedance value has been determined.

(C (共通) 印の端子は，2 本のスピーカー伝送線路の導線の 2 本のうちの 1 本へ接続する。もう 1 本の導線は，他のスピーカー端子のいずれか 1 本に接続する。そして，その選択は負荷である (スピーカーの) インピーダンスの値が決まった上で行なわれている)

the selection being made は *and* the selection *is* made のことである。

12.3.3 主節の結果

(24) The air entering it is discharged through slanting orifices on its periphery, *spinning* the drum.

(それに入る空気は，その周囲に付いている傾斜したオリフィスから放出され，ドラムを回転させる)

spinning は *and* (*thus*) it *spins* のことである。この構文では，分詞の直前に強調のため thus, thereby などを伴うことが多い。

(25) A page reader is an optical reader that is capable of reading full-page documents to convert typed or printed information into computer language, *thus eliminating* card punching and similar routines.

(ページ読取り装置は光学文字読取り装置であって，タイプか印刷された情報をコンピューター語に変換するために，ページ

全体に書かれた記録を読むことができる。従って，カードにパンチしたりするような決まりきった仕事は不要になる）

thus eliminating は *and thus* it (=the page reader) *eliminates* のことである。

(26) What the shoulder reinforcement does is keeps more of tread on the ground of a tire in extreme cornering, *thereby adding* bite.

（路肩の強化で，急激なコーナリングにおけるタイヤの路面との踏み面をより多く保つ。従って，ロードホールディングが増すことになる）

thereby adding は *and thereby* it *adds* のことである。

12.4 懸垂分詞

分詞構文については，懸垂分詞 (dangling participle) しか触れていない参考書が多い。そして，すべてが，これを激しく攻撃している。しかし，この分詞は実際には散見しているし，言語生活に，そう大きな影響を与えるとも思えない。無意識に用いられているとすれば，奇異に感じる訳でもないだろうし，内容の理解の上でも妨げにならないから，あまり騒ぎ立てなくとも良いと思う。しかし，英語が母語でないわれわれは，極力避けたほうが良い。

例えば，When extinguishing the burning candle, it was found that.... のような文は，態を変えて，When the burning candle was extinguished, it was found that.... （燃焼中のろうそくが消えたとき，…のことが分かった）のように書き変えた方が良い。

英米人の書いたものから懸垂分詞の例を拾ってみよう。

(27) *Using* a total condenser and *starting* at the top, a horizontal line (from $xp=y_1$) to the equilibrium line gives x_1.

（蒸溜塔全体を使って，初段から始めると，($xp=y_1$ であるから）平衡線への水平は x_1 になる）

(28) *Knowing* the composition of the vapor y1 leaving the top plate, the equilibrium composition of the liquid x1 is calculated for every component by using a dew point calculation.

（初段から出る蒸気 y_1 の組成を知ることにより，液体 x_1 の平衡組成が，露点計算を使って，あらゆる組成に対しても計算されうる）

(29) *Starting* at the condenser, successive horizontal and vertical lines forming steps are drawn as shown in Fig. 2.

（蒸溜塔から始めて，いろいろな段階を形成する連続する水平線と垂直線は，図 2 に示すように描かれる）

これらの懸垂分詞の生まれる原因は，generally speaking とか talking of the computer のような無人称独立分詞 (impersonal absolute participle) の影響であろう。文尾に置かれる分詞構文には，懸垂分詞の例は少ないようである。

13. 動名詞

13.1 主語となる動名詞

科学・技術文では，主語が動名詞の形をとることが多い。

(1) Apart from compacting, which is just the initial stage, *bonding* and *shaping* can be carried out in an explosive-operated press with double-acting pistons.

(初めの段階である詰め込みを別にすれば，結合と成形は，複動ピストンを備えた爆発で駆動されるプレスで達成できる)

(2) High-energy-rate *forming* adds a valuable range of new processes to the metallurgist's repertoire.

(高エネルギー率成形は，金属技術者の取り扱えるレパトリーへ価値ある新しい方法の領域を付け加えている)

(3) *Exhausting* the chamber is usually *done* in a series of steps with mechanical pumps providing the initial pumping.

(チェンバーは，通常，数段階で真空にされるが，当初の排気は機械式ポンプが行なう)

The chamber is usually exhausted in a series of.... で良いのに，わざわざ動名詞を主語にして，意味を直接持たない done を述語に用いている。providing は which provide のこと。

(4) *Laying* and *maintaining* a pipeline which may be tens or even hundreds of miles long is an expensive business.

(数十マイルあるいは数百マイルもの長さの油送管を敷設し，保守する事業は，経費がかかる事業である)

(5) *Tracing* the movements of water in the sea or in large rivers, presents quite different problems.

(海の中や大きい川の中で水の移動を追跡すると，まったく異なったいろいろな問題が現われる)

13.2 前置詞 + 動名詞 (1)

「分詞構文の位置」(§12.2) の冒頭で，分詞構文は，あい昧性が特色であると述べた。そのあい昧さを少しでも解消しようとして，-ing の付いた語の前に，前置詞や接続詞を置くことが多い。主な前置詞は in, on などである。接続詞については §8 参照。

(6) *In thinking* of matter in molecular terms and *in drawing* diagrams to represent its structure, there is a strong tendency to regard the molecules as stationary.

(分子という観点から物質を考え，その構造を表わすのに図を書くと，分子は静止していると見る傾向が強い)

[*When* we think of … and draw diagrams to…. に書き換え可能。懸垂動名詞の一例]

(7) *On burning* out, the first stage booster falls to earth.

(燃え尽くすや，第 1 段ブースターは地上へ落ちる)

[*As soon as* the first stage booster has burned out, it…. のこと]

13.3 前置詞 + 動名詞 (2)

分詞構文に代わる働きをするというよりも，むしろ，by，for，with のような手段や目的を表わす前置詞に動名詞の結び付いた形がすこぶる多い。

(8) The new paper is made *by controlling* the recoil of the rubber blanket.

(新しい紙は，ゴム製のブランケットの反動を制御することにより作られる)

(9) Odors are eliminated *by applying* the liquid.

(臭気は，その液体を使うことにより消える)

(10) We have to use a rocket *for flying* into interplanetary space.

(惑星間宇宙へ飛んで行くには，ロケットを使わねばならない)

(11) The camera is an apparatus *for taking* a picture.

(カメラは写真を撮る器械である)

(12) *By means of altering* the proportion of the two metals, thermostats can be

designed to give almost any desired temperature control.

(2つの金属の割合を変えることにより，サーモスタットは，希望するほとんどどんな温度調整でもできるように設計できる)

[By means of は，強意でなければ By だけが良い]

(13) Motor life is lengthened because the unit uses separate air *for cooling*.

(その装置は冷却のために別の空気を使うので，モーターの寿命は延びる)

(14) The experiment has been performed for two years *with a view to obtaining* the best result.

(最高の結果を得る月的で，その実験は2年間行なわれてきた)

[with a view to の次には，名詞か動名詞が来る]

13.4 前置詞 + 名詞 + 動名詞

この構文は論文に多く現われ，前置詞の多くが of のため「of+ 名詞 + 動名詞」の構文とも言える。この of を「…の」と,訳さない方が良い。この名詞が実は動名詞の主語なのである。

(15) If a spark occurs, there is a danger *of an explosion being* taken place.

(火花が散ると，爆発が起こる危険がある)

(16) The possibility *of the element being* separated from copper is very slight.

(その元素が銅から分離できる可能性は，極めて僅かである)

13.5 a board for drawing は a drawing board に

「製図板」は a board for drawing では，まとまりを欠くので，専門用語の形として a drawing board が良い。同様に a plant for welding → a welding plant (溶接工場); a car for sleeping → a sleeping car (寝台車); a nut for locking → a locking nut (締付けネジ) などにも同様のことが言え，専門用語の形になる。

(17) The powerful unit cuts *the time for cleaning* in half since *the tools for cleaning* does not have to be pushed back and forth repeatedly to do its job.

(この強力な装置は，掃除をするのに，掃除道具を，たびたび押した

り引いたりする必要がないので，掃除時間を半分に節約している）

[the time for cleaning は the cleaning time に，the tools for cleaning は the cleaning tools がまとまりを感じるので良い。しかし，動名詞の後に目的語が来るときは，この限りではない。

(18) A clutch is a form of coupling which is designed to connect or disconnect *a driving and a driven member for stopping or starting the driven part.*

（クラッチは継手の一形態であって，駆動される部分を止めるか，始動させるかする駆動要素と駆動される要素を接続するか，離すように設計されている）

[a driving and a driven member for stopping or starting the driven part を a driven-part stopping-or-starting driving-member and a driven-part stopping-or-starting driven member などと複雑にする必要はない］

13.6 test machine か testing machine か

日本語でも「試験機」に対して，「試験をする機械」と「試験をされる機械」の 2 つの意味があるので内容から判断しなければならないが，英語では通例，test machine か testing machine に区別をしている。testing machine を a machine for testing に分解してみれば，これが「試験をする機械」を意味することが分かろう。次に例文を示す。

(19) These marks will show what stretching occurs in the test. The *test piece* is secured in the *testing machine.*

（これらのマークにより，その試験でどれほどの延びが生じるかが分かろう。試験片は試験（をする）機（械）にしっかりと取り付けられている）

しかし，次の test equipment は，前後の内容から判断して，明らかに「試験をする機械」のことである。

(20) As could have been expected, Telstar ran into difficulties in this deadly radioactive area. After months of operation it went silent. Engineers worked feverishly with *test equipment* on the ground, and even though they couldn't climb a ladder to Telstar for a checkup, they succeeded in finding

the trouble from thousands of miles away and then even fixed it!

(予想していたように，テレスターはこの恐ろしい放射能帯で苦境に陥った。数か月の作動の後，交信が途絶えた。技術者たちは，地上の試験機を用いて死に物狂いで修理をした。点検のためにテレスターへ，はしごをかけて登ることはできなくとも，何千マイルも離れた遠隔地から故障を発見することに成功し，修理さえしたのだった)

[(19) のように，やはり，「試験される機械 / もの」は test machine が，「試験する機械」は testing machine が普通である。

(21) Light and heat from the lamps are reflected by mirrors through quartz windows onto other mirrors, and through lenses within the chamber that focus and direct the energy onto the *test specimen*.

(ランプから出る光と熱が鏡によって石英の窓から他の鏡へと投射され，エネルギーを集約するチェンバー内のレンズから検査物体上に注がれる)

(22) Smaller chambers permit "harder" vacuums for *testing systems and subsystems* of manned and unmanned spacecraft as well as small satellites.

(より小さなチェンバーは，小衛星のみならず有人，無人の宇宙船の試験システムやサブシステムに対して「より強力な」真空状態を提供する)

14. 不定詞

不定詞（to + 動詞）は，節を使った構文より簡潔に表現できるため，科学・技術文では多用される。
例えば，
(1)「送電には，硬銅線が使われる」
に対して，(2) a) よりも，不定詞を使って (2) b) とすることが多い。

(2) a) Hard-drawn copper wire is used *so/in order that* it may transmit electric power.
 b) Hard-drawn copper wire is used *to* transmit electric power.

14.1 目的を意味する表現

この用法はとても多いので，間違える心配はほとんどないだろう。

(3) *To understand* the requirements for the oxygenator, let us first look at the organs whose function it is temporarily replacing—the lungs.
（酸素供給者に対する必要条件を理解するために，先ず，それが，一時的に代役を務めている器官，つまり，肺を観察してみよう）

(4) This book has attempted to show some of the main processes being developed *to supplement*, if not to replace, our traditional techniques *in order to meet* the growing demands and changing economic conditions of the modern technological world.
（本書では，現代の技術の世界で増大している需要と，変化している経済状態に合わせんがために、従来の技術に置き替わらないまでも，それを補うために開発されている主な方法をいくつか示すつもりである）

これらの例から分かるように，in order to は to より目的が一層強く表現される。つまり，to の強調と言える。また，堅い表現にも，単に，in order to が用いられる。

「…の目的は…のためである」のような行為の目的を表現する一般的なものに，次の型がある。

(5) *The purpose* / *The object* / *The aim* } of the test tube is to control the intensity of radiation.
（その試験管を使う目的は，放射線の強さを調節することにある）

この (5) は，(6) のようにも書き換えることができる。

(6) The test tube is used for { the purpose / the object / the aim } of controlling the intensity of radiation.

格式ばった論文などでは，the purpose of ... が好まれる。和文英訳の際，結果を表わす表現と誤解されそうなときは，in order to か so as to の使用を勧める。

(7) The heart-lung machine must have a facility for cooling the blood *so* as *to* reduce the temperature to any level the surgeon requires.
（人工心肺は，外科医が必要とするどんなレベルにも温度を下げるために，血液を冷却する装置を必要としなければならない）

14.2 結果を意味する表現

目的と間違えられることが多いが，科学・技術分野では，文の頭から順に訳したほうが良いので，この原則を守っていれば，そう誤訳はしないと思う。結果を表わす不定詞句としてよく用いられる動詞に，form，generate，give，leave，make，produce，yield などがある。

(8) When rolling the plate, the width of the slab is extended *to form* the finished width.
（板を圧延するとき，板の幅は広げられて，完成品の幅となる）
[懸垂分詞だから When the plate is rolled,.... としたほうが良い]

(9) Sulfur burns in chlorine *to form* sulfur chloride.
（硫黄は塩素中で燃焼して，塩化硫黄を生成する）

(10) Electrons move *to generate* a magnetic field.
（電子が動くと磁場が生じる）

(11) Saturated molecules combine *to give* molecular complexes.

(飽和した分子は結合して，分子錯体を与える)

(12) Methane reacts with oxygen *to give* carbon dioxide and water.

(メタンは酸素と反応して，二酸化炭素と水を作る)

(13) The wax is melted *to leave* the electroformed component.

(そのワックスが融けると，電鋳成分が残る)

(14) Another five feet of wire was connected *to make* a total length of 12 feet.

(電線があと 5 フイート結合されて，全長 12 フィートになった)

[この文の to make は目的にも理解できる]

(15) While acetic acid and alcohol are forming ester and water, the molecules of ester and water are simultaneously reacting *to produce* the reverse change.

(酢酸とアルコールでエステルと水が形成している間に，エステルと水の分子が，同時に反応して，逆の変化を生む)

(16) A nozzle design was improved *to yield* the optimum performance.

(ノズルの設計が改良されて，最適な性能が出た)

[この文の to yield も目的を意味するともとれる]

これらの不定詞構文の殆どは and，but，with the result that …，is formed などで書き換えることができる。例えば，(16) は A nozzle design was improved *with the result that* the optimum performance was yielded. と同じ内容である。

14.3 be 動詞 +to 不定詞

この形で色々な内容が伝達できる。科学・技術分野では，主語に無生物が来ることが多いため,「…することである」を意味するケースが多い。

(17) Another technique *is to* bombard the charge with neutrons, which are slowed down or stopped by the hydrogen in the water.

(もう一つの方法は，装入物に中性子を当てることだが，中性子は，水の中の水素原子により，その速度が遅くなったり，止まったり

する）

(18) After this, most slabs go once through a special heavy mill whose job *is* not *to* produce any change in dimensions but simply *to break* up the scale that has formed on the slab surface.

（この後（あと）で，たいていの鋼板は，特別に重いミルを一度通るが，このミルの仕事は，鋼板の寸法に何ら変化を加えることでなく，鋼板の表面に形成されたスケールを砕くだけのことである）

(19) A glass control lens must be physically removed and replaced if the focusing or direction of a light beam *is to* be changed.

（光のビームの焦点合わせや方向を変えたいならば，ガラスの制御用のレンズそのものを，物理的に取り除いたり，交換したりしなければならない）

仕様書とか説明書の一部に，be 動詞を省略して「…のこと」を意味することがある。箇条書き，あるいは，箇条書きに準ずるような場合に多い。

(20) Repair (is) to be made by July 1.

（修理は 7 月 1 日までに完了すること）

(21) Stud (A) (is) to be disengaged from hammer latch assembly.

（スタッド A は，ハンマー・ラッチ・アッセンブリーからはずれること）

(22) Weight (is) not to exceed 10 lbs.

（重量は 10 ポンドを越えないこと）

14.4 to 不定詞の主語

I want *to go* there. の文では，不定詞の主語は I で「私が行く」のであるが，I want *you to go* there. の文では「あなたが行く」ことになる。このように，一般に，不定詞の前に置かれている名詞が，その不定詞の主語となるが，I promised him *to be* there at five. では I promised him that I would be there at five. のことで「私は，彼に，5 時にそこに居ると約束した」で「私が居る」ことになる。従って，文脈や動詞のとる文型で，不定詞の主語を決なければならないことがある。

(23) He believes *to have discovered* a new process.

(彼は，新しい方法を発見したと信じている)

[to have discovered の主語は He]

(24) They calculated the content *to be* 20%.

(彼らは，その含有量は 20% だと計算した)

[to be の主語は直前の the content]

(25) In fact, it takes only 0.001 of a second *for a red cell to come* into equilibrium with the gases surrounding it. The resting body requires *to eliminate* 200-250 cc of CO_2, and *to take up* a precisely similar quantity of oxygen, each time.

(事実，赤血球が，その周りのガスと平衡状態になるには 0.001 秒しかかからない。休息している体は，その度(たび)に，200-250 cc の二酸化炭素を除去し，それと全く同量の酸素を吸収する必要がある)

[to come の主語は a red cell で「it … for … to の構文」である。to eliminate と to take up の主語は The resting body]

「for … to の構文」は，One hour is sufficient the reaction *to* occur. (反応が起こるのは，1 時間で十分である) では sufficient と the reaction の関係がはっきりしないうえ，非文法的である。そこで One hour is sufficient for the reaction to occur と書くと明確になる。

(26) Not much is known about these experiments yet, but it is possible for the clock *to run* for a year on a 1.5 volt dry cell.

(これらの実験については，まだそれほど知られていないが，この時計は 1.5 ボルトの乾電池で 1 年間作動する)

[よく見かける「it … for … to の構文」]

14.5 分離不定詞

to と不定詞の間に副詞が介在する構文で，反対している文法学者もいるが , He prepared to *silently* repair the machine. (彼は，無言で，その機械の修理に立ち向かった) の文では silently が repair を修飾することが明確になるため，アメリカでは，この方法を弁護する人が多い。

(27) The Tab Link Assembly rotates in a counterclockwise direction, causing the Tab. Finger Link to *also* rotate the Tab. Finger Assembly in the same direction until the Tab. Finger Assembly falls into tabular position.
(タブ・リンク・アッセンブリーが左回りをすると，タブ・フィンガー・リンクも，またタブ・フィンガー・アッセンブリーを左回りさせ，タブの位置へ入れる)

also の位置が also to rotate とすると also が cause を修飾することにもなりかねないばかりか，リズムも悪くなる。until の前に置いても不自然である。イギリスで発行される書物などには，この分離不定詞はほとんど見当らない。

15. 態

15.1 科学・技術文に多い受動態

文の自然な形は能動態であって，何かの要因があって受動態になると考えて良いだろう。

The Passive is used in scientific description.: *Modern English*（科学分野の記述には受動態が用いられる）のように，科学・技術文は，すべて受動態をとると解せるように述べた本が多い。この見解を単純に受け入れてはならない。ここでは能動態と受動態の問題点を究明するのではなく科学・技術文に受動態が多用される原因を究明する。

少し古い文法書だが *Philosophy of Grammar* で Jespersen は，次のような場合に受動態が用いられると述べている。

15.1.1 動作主がわからないか，述べるのが困難

(1) a) He was *killed* in the War.（彼はあの戦争で死んだ）

b) The city *is* well *supplied* with water.（その町は十分に給水されている）

c) The murderer *was caught* yesterday.（殺人犯は，昨日，逮捕された）

d) The doctor *was sent for*.（医者が呼ばれた）

15.1.2 動作主が前後関係から明確

(2) a) His memory of these events *was lost* beyond recovery.

（これらの出来事についての彼の記憶は，回復できないほど失われていた）

b) She told me that her master had dismissed her. No reason *had been assigned*; no objection had be made to her conduct. She *had been forbidden* to appeal to her mistress.

（「雇い主は，私を解雇したんです。何ひとつ理由も言わず，何ひとつ私の行いに不服を言っていなかったのです。奥さんにお願いすることは禁じられていました」と彼女は私に言った）

15.1.3 動作主を言いたくない

「如才なさ」「思いやり」などの特別な理由で，動作主を言いたくない場合に用いられる。

(3) Enough *has been said* here of a subject which will be treated more fully in a subsequent chapter.
(ここでは，これまで言いつくされたことで十分である。次の章でさらに詳細に述べられるだろうから)

15.1.4 受動態の主語に関心が強い

能動態の主語よりも受動態の主語に関心が強い場合に用いられる。

(4) a) The house *was struck* by lightning. (その家に落雷があった)
b) His son *was run over* by a motorcar. (彼の息子は車にひかれた)

15.1.5 文の結合上便利

(5) He rose to speak and *was listened to* with enthusiasm by the great crowd present.
(彼が立ち上がって演説を始めると，出席していた大観衆は，熱心に耳を傾けた)

以上の他に，強いてあげれば，

- He *was surprised* at the news. (その知らせを聞いて彼は驚いた)
- He *was offended* at your remark. (君の言ったことを聞いて彼は腹を立てた)

のような，人間の感情や心の動きを表わす場合や

- I *was born* in Tokyo. (私は東京生まれです)
- Our company *was founded* in 1930. (当社の創立は 1930 年です)
- Number *is engaged*. (「話し中です」或いは「その番号はふさがっています」) [アメリカでは Line is busy. が普通] のような出生，創立，状態などを表わす場合も考えられる。

能動態とそれに対応する受動態は，伝える事柄は同じでも意味

が異なる。となると，The passive voice is the natural voice of science.: *Readings for Technical Writers*（受動態は科学文の自然の態である）｜ The use of the passive voice and the third person point of view is a long established tradition in technical writing.: *Basic Technical Writing*（受動態と三人称的見地で文を書くことは，技術文に長い間確立している慣例である）と述べているからといって，鵜呑みにしてはならない。*Basic Technical Writing* は，上の記述に続けて「しかし，受動態は wordy で weak だから避けるべきだ」と言っているが，これもすべてのケースに当てはまらない。

Jespersen の説明からも明らかなように，必然性から受動態が用いられるケースが多いのであって，科学・技術文だから受動態を用いる，と単純に決めてはならい。

科学・技術文では Jespersen の説明の 15.1.2 と 15.1.4 の理由から受動態になる場合も多いが，15.1.3 の理由からも多い。個人的な色彩を表面に出さないで，客観的に述べる場合が多いからである。欧米の参考書が異口同音に「科学・技術文の態は受動態」と主張しているのは，この辺に理由がありそうだ。

15.2 能動態か受動態か

受動態か能動態かが問題になるのは，主として英語で表現するときであろう。keyword を主語にすれば，自然と態は決まる。従って，次に和文を示し，それが英文では，なぜ受動態が良いかを具体的に説明する。

(6)「その岩石を調べたところ，銅を含有していることが分かった」

I examined the rock and found it contained copper.

人称代名詞 I を文頭にする特別な理由はない。前後関係から動作主が分かるからである。逆に the rock を文頭にした方が対象がはっきりして良い。つまり，keyword を主語にした次の英文が，明確，簡潔で良い。

The rock was examined and was found to contain copper.

(7)「宇宙開発が始まって以来，無数の人工衛星が打ち上げられている」

Since we started space exploration, we have launched thousands of satellites.

科学・技術文では，むやみに人称代名詞を動作主として主語に用いない方が良い。特に I，we などの主語には注意。常に keyword を主語にすると内容が明確になり，英文も簡潔になる。この b) の英文も，keyword を主語にした次の英文が，簡潔で良い。 Since space exploration started, thousands of satellites have been launched.

(8)「映画を発明した功績はエジソンに与えられている」

We have claimed the credit of having invented motion pictures for Thomas Edison.

既に述べたように，科学・技術文では，理由もなく人称代名詞の動作主を主語にしない方が良いので，次の文が良い。

The credit of having invented motion pictures has been claimed for Thomas Edison.

or

Thomas Edison has been claimed the credit of having invented motion pictures.

(9)「 機械は，次の順序で調整しなければならない」

You must adjust the machine in the following sequence.

主語に you を出すと「君」だけを対象にしたようでもあり，強い命令調にもなる。相手は前後関係で分かるので The adjustment must be made in the following sequence. か，The machine must be adjusted in the following sequence. が良い。

(10)「1925 年に設立されたわが社は，それ以来，90 年間，石油精製に従事しております。わが社の評判は，この長い年月に基づいております」

Our company was established in 1925. Our reputation is based on the fact that we have served for 90 years in the oil refining industry.

必ずしも原文通りに区切る必要はない。英文としてすっきりした方が良い。この文の後半は the fact that は不要だから，次のように書くと，更にすっきりする。

Our reputation is based on 90 years of service to the oil refining industry.

(11)「日本の工作機械産業は国内市場が狭いので，不利な立場におかれている，と議長は言われた」

It was mentioned by the chairman that the Japanese machine tool industry has been handicapped by a narrow domestic market.

必要と感じない場合には受動態を用いない方が良い。この英文の最初の部分 It was mentioned.... も The chairman mentioned that.... が良い。科学・技術英語には，このような無意味な It を主語にした無意味な受動態が多用されているが，読者は keyword に直ぐ気付かないのみならず，長文になるので避けた方が良い。

(12)「人類は，宇宙に軌道を周回する恒久的な基地を造ると信じられている」

It is believed that the human will establish a permanent orbiting station in space.

このような文では It is believed that.... は redundant である。 It is to be noted that.... や It is assumed/expected/felt/proposed/seen/supposed that.... なども散見するが，多くの場合無意味であるのと，主語が後置されて読者は戸惑うので，It is believed.... と同様に削除するか，能動態に変えた方が良い。

(13)「いろいろな材料が集められ，技術者が検査した結果，サービス課へ送られた」

We collected various materials, and after engineers examined them we sent them to the Maintenance Section.

この文は，主語，つまり keyword は various materials であるから，Various materials were collected, examined by engineers, and sent to the Maintenance Section. と書き直し，更に Various materials collected were examined by engineers and sent to the Maintenance Section. と直した方が良い。

科学・技術文では keyword を主語にすることを常に心掛けることを

勧める。

(14)「品質の改良がなされた」

An improvement in quality has been made.

この場合，特に受動態にする理由はない。Quality has improved で良い。既に述べたように，動詞形のある名詞は，動詞の形で用いるべきである。受動態の made や done などは無意味の場合が多いから注意。

(15)「図のようにキャリアからテープを外し，プラスチック製のカートリッジを両方とも持ち上げて，取り外して捨てなさい」

Tape must be disengaged from the carrier as we show in the picture. And then both plastic tape cartridges must be lifted out and discarded.

これでは説明書 (Instruction manual) の文としては不適切で，通常は命令文である。つまり，Disengage tape from carrier as shown.... Lift out and discard both plastic tape cartridges.... がすっきりして良い。このような文では，前後関係から明確なため，冠詞の省略が普通である。

他動詞でも受動態にならない語がある。ごく，基礎的なことだが have が「持つ，持っている」の意味の時と，cost，lack，resemble などは，通常は受動態にならない。

We can catch the reflected waves. (反射波を捕らえることができる) は The reflected waves can be caught. と言うことができ，普通の構文だが，We desire/like/manage/want/wish, etc. to catch the reflected waves. を The reflected waves desire/manage/ like/want/wish, etc. to *be caught* とは普通は言わない。

eat も他動詞であり，

The key is eaten away with rust. (キーはさびて腐食している) とか This fish is eaten raw. (この魚は生で食べられる) と言えても，He is eaten. では大変だし，Breakfast is eaten. も英語にならない。

要約すると，Who invented the telephone? に対して，The telephone was invented by Alexander Graham Bell. では的外れである。質問文は Who? を要求しているのだから，当然，Alexander Graham Bell did. としなければならない。

同様に，What did Alexander Graham Bell invent? に対して，Alexander Graham Bell invented the telephone. でも困る。話題の中心を What? に求めているのだから The telephone was (invented) .... となる筈である。

この例に見られるように，受動態は話題の中心を主語にすることにより，自然な英文ができるのであって，無理に作るものではない。

16. 修 飾

16.1 修飾語句の位置

英文を読み書きするときに修飾語(句)の位置がよく問題になる。これは日本文にも言えることで，例えば「正しい科学・技術英語の学び方」とすると，「正しい」は「科学・技術英語」を修飾し，正しくない科学・技術英語が存在することになる。「科学・技術英語の正しい学び方」とすれば，「正しい」は「学び方」を修飾することになる。私は，この形態を「縁語接近の原則」と言っている。形容詞や副詞の位置については，すでに，それぞれの章で述べたが，ここでは，そのほかに留意すべき点を述べる。

(1) *Recent* developments in aircraft engines and nuclear power stations have made it more and more desirable to produce materials which will slide or rub over one another *at very high temperatures* without the danger of seizure or mechanical failure.

この英文を次のように訳すと誤訳になる。下線部の語句の位置に注意されたい。

「<u>最近の</u>航空機のエンジンや原子力発電所の発展により，<u>非常な高温</u>で焼付きや機械的な破壊の危険なしに，互いに滑り合ったり，こすり合ったりできる材料を製造することが，ますます要望されるようになってきた」

おそらく無意識な誤りだろうが,「最近の航空機のエンジン」ではなく,「最近の発展」であり,「非常な高温で焼付きや機械的な破壊の危険なしに」ではなく,「非常な高温で互いに滑り合ったり，こすり合ったりできる」ということである。

(2) The function of the wire conductor is to connect a source of applied voltage to a load resistance *with minimum IR voltage drop in the conductor*.

これを「線導体は，供給電源と最低 IR(電流 × 抵抗)の電圧降下を導体内に持つ<u>負荷抵抗とを接続する</u>役目をする」

のように，connect ... to ... の構文と考え，with は直前の a load resistance

を修飾するように訳すと誤訳になる。connect ... with ... と考え，
「線導体は，供給電線と負荷抵抗とを線導体内での電圧降下が最低IR (電流×抵抗) で接続する役目をする」
のように訳さねばならない。connect ... with ... さえ分かれば，全く問題がなかったのである。

次の例はどうだろう。

(3) A driving mechanism turns a chuck *with hardened serrated jaws*.

同じ with に導かれた句だが，これは単純に a chuck を修飾すると考えるべきで，
「駆動装置は，焼入れしたのこ歯状のあごで，チャックを回転させる」
ではなく，
「焼入れしたのこ歯状のあごを持つチャックを回転させる」としなければならない。

次に英訳の例を紹介しよう。

(4)「ノズルの選択により，ペンキ以外の液体がスプレーできる装置を，製造しているメーカーもある」

これを，
By selecting a proper nozzle, some manufacturers produce a device which can spray liquids other than paint.
と表現すると、By selecting a proper nozzle は produce を修飾してしまい，おかしくなる。By 以下を文尾に置いて，
Some manufactures produce such devices that can spray liquids other than paint by selecting nozzles.
としても produce ... by selecting nozzles という印象を与えてしまいそうである。この文をこのまま生かすとすれば，次の (5) a) か b) のいずれかにすべきだろう。

(5) a) Some manufactures produce such devices that can spray, by selecting nozzles, liquids other than paint.
b) A manufacturer provides a spraying device which, by selecting the appropriate nozzle from wide variety, can spray different liquids other

than paint.

(6)「その技術者は，損傷した宇宙船から取り外したロケット・エンジンのノズルを試験機にかけた」

を次のように英訳すると内容が違ってくる。

The engineer secured the nozzle of the rocket engine removed from the spacecraft (which was) damaged in the testing machine.

この英文では in the testing machine が damaged を修飾して，「試験機内で損傷した宇宙船」に解釈されてしまうので，in the testing machine は secured の後に置くべきである。

修飾語 (句) は，それが修飾するものの近くに置き，読み返してみて，他の語句を修飾する恐れがないか絶えず注意することである。「縁語接近の原則」を守るべきである。なお,「副詞の位置」(§7.5) も参照されたい。

16.2 前位修飾

前位修飾 (premodification) の形をとると，その構文はコンパクトに圧縮され，引き締まってくる。例えば,

「しばしば引き合いに出される工程」に対して the process (that is) often referred to がすぐ考えられるが，これを前位修飾の構文に直すと the often-referred-to process になる。

「12 フィート，16 フィート，18 フィートのボート」に対して the boats of 12, 16 and 18 feet

がすぐ考えられるが，これを前位修飾の構文に直すと，the 12-, 16-, and 18-foot boats となる。

「東京のラッシュ時の道路混雑」は traffic jams at the rush hour in Tokyo がすぐ浮かぶが,

Tokyo's rush-hour traffic jams の形が科学・技術文では好まれる。

University of London の Randolph Quirk は *English Language Teaching* で，この premodification は科学・技術英語の特徴をなすもので，科学・技術英語調の，the company's eight fixed open hearth steel melting furnaces (当社の固定式鋼鉄溶解平炉 8 基) は散文調に直すと eight furnaces, of a fixed type with open hearth, for the melting of steel になろうと述べている。同じく同大学の G. N. Leech は *English in Advertising* で「前位修飾語を後位修飾語からなる文に直すと，意味は一層はっきりするだろうが，文体があまりにも不格好になるのは確かだ」と述べている。(「名飼 + 名詞」構文 (§3.4.3) で述べた長所・短所を参照)。

(7) A 2N398A transistor was chosen for Ql because of *its high collector-to-base reverse breakdown voltage rating.*

(コレクターからベースへの逆破壊電圧規格が高いので，Ql には 2N398A トランジスターが選ばれた)

(8) In the second test setup, a *15-tube w. and 8-ft.-9 in.-long panel* was used.

(2 回目の試験装置では，管 15 本の幅で 8 フィート 9 インチの長さのパネルが使われた)

(9) The equipment he is developing will be operated by *6-, 12-, or 32-volt batteries.*

(彼が開発中の機械は, 6 ボルト , 12 ボルト, あるいは 32 ボルトのバッテリーでも作動するだろ)

(8) の例文では long の前のハイフンは 8 ft-9 in. の影響と思うが，なくても内容に誤解は生じないだろう。しかし，(9) の例文ではハイフンがなくて，仮に volt battery なるものが存在するとすれば,「6 個，12 個，あるいは 32 個の volt battery」のことにもなるので，ハイフンは正確な英文を書く上でも重要である。

ハイフンの有無により内容の変わる例をあげよう (§19.7 参照) 。

(10) The circuit contains a *small-time delay device.*

(その回路には，わずかな時間だが緩動装置がしてある)

この文で small と time の間にハイフンがないと small time delay (わずかな緩動) か small device (小さな装置) かが分からなくなる。

ともかく，科学・技術文では，次のような前位修飾構文が多い。簡潔な表現と言えよう。

(11) Its lens of variable focal length offered both *wide-and narrow-angle fields of*

view.
（そのレンズは，焦点距離が変わるので，広角及び狭角の視野が得られた）

17. 余剰表現

格式表現 (formal expression) が中心の科学・技術文は，堅苦しく表現しようとして，この分野独得の語法が生まれている。機械翻訳では特に注意が肝要である。

17.1 頻出する冗語

The University of Texas 教授の G. H. Mills と J. A. Walter は *Technical Writing* で，technical writing の中で見出される冗語 (redundant phrases) だけでも，ゆうに 1 冊の本になると述べ，次のような頻繁に使われている語句をあげ，その使用を戒めている。

absolutely essential (essential), actual experience (experience), aluminum metal (aluminum), at the present time (at present, now), completely eliminated (eliminated), collaborate together (collaborate) ["together" is unnecessary in many phrases, such as "connect together," "cooperate together," and "couple together"], during the time that (while), few in number (few), in many cases (often), in most cases (usually), in this case (here), in all cases (always), involve the necessity of (necessitate, require), in connection with (about), in the event of (if), in the neighborhood of (about), make application to (apply), make contact with (see, meet) , maintain cost control (control costs), make a purchase (buy), on the part of (by), past history (history), prepare a job analysis (analyze a job), provide a continuous indication of (continuously indicate), range all the way from (range from), red in color (red), stunted in growth (stunted), subsequent to (after), through the use of (by, with), true facts (facts), until such time as (until), with the object of (to).

カッコ内が簡潔な表現なことは言うまでもない。個人的な癖で，この種の redundancy が生じる訳だが, University of California の J. Morris は, *Principles of Scientific and Technical Writing* で，この種の語句は無意識に繰り返されることが多いとして，次の例をあげている。

(1) *Today's modern* digital-analog computer design is....

[today と modern は同類語であるので，いずれかを用いる]

(2) *Here in this section* you will find….

[here か in this section かの，いずれかにする]

(3) *Approximately* six or eight men can do the job….

[six と eight を用いているので Approximately は不要]

(4) The *resultant effect* is to….

[resultant 不要]

(5) Any *unnecessary* parts will not be needed….

[unnecessary とは not be needed のことであるから，Any parts だけで良い]

(6) *Replace* the books on the shelves *again*….

[replace に again が含まれているので again が不要]

(7) *Deflate* the tire by *letting out the air*….

[deflate とは let out the air のことだから by 以下は不要]

17.2 「... of ...」の型に注意

17.2.1 the end of，the area of など

「電子工学では」で済むところを「電子工学の分野では」のように，われわれも無意識のうちに「…の分野」を用いることがある。He is studying the field of electronics のような文では electronics は field であるから the field of が不要である。次に，英語の論文から拾った例をあげてみよう。

(8) *The field of* inorganic chemistry is taught almost entirely in the early years of the course.

(無機化学(の分野)は，その課程の初期の年度で，ほとんど完全に教えられる)

[The field of 不要]

しかし，(9)のように修飾語が付く場合は，いたずらに不要と決めつけられない。

(9) His study extends over *a very wide field* of supersonics.

（彼の研究は，極めて広い範囲の超音波学に及んでいる）

(10) *The scope of* this report concerns the special steel.

（本レポート（の包含範囲）は，特殊鋼に関してである）

[The scope of 不要]

(11) The purpose of *the system of* four IMP satellites is the investigation of space around the earth, and incidentally around the moon.

(4 つの惑星間観測衛星（方式）は，地球の周りの宇宙，付随的に月の周りの宇宙を調査することを目的としている）

[system of 不要。なお，すでに述べたように investigation は動詞形があるので，The purpose of four IMP satellites is to investigate space around the earth, and .... とすると，更に明確になり，理解し易くなる]

(12) For the answers to many of the questions from air-conditioning to zero gravity, the engineer now looks to *the science of* bionics.

（空調から無重量に至る多くの問題に答えるために，技術者は現在バイオニクス（の科学）へ期待を寄せているのである）

[the science of 不要。many of the questions も many questions で簡潔になる]

17.2.2 the time of，the period of などは不要

「3 日に」「5 分間で」で良いものを「3 日の日に」「5 分間の時間で」というようなものである。

(13) The computer executes instructions during *the time of* 20 milliseconds.

（そのコンピューターは 20 ミリセカンドの（時間の）間，命令を実行する）

(14) We had the unusable *time of* five minutes for checking the input data.

（入力データをチェックするために，5 分間の使用できない時間があった）

[(13)，(14) ともイタリックの英語は不要]

(15) The thioamide decomposed when stored *over a period of* several weeks.

(チオアミドは，数週間(の期間にわたって)，貯蔵したとき分解した)

[over a period of 不要。代わりに for を入れても良い]

(16) The red *color* appeared during *the period of* oxidation.

(赤(い色)が酸化の(期間の)間中，現われた)

[The red color は red は color だから red だけで良い。the period of も不要]

(17) The computer does more than simply add one and one at a tremendous *rate of* speed.

(コンピューターは，ものすごい速さで 1 と 1 を単に加える以上のことをする)

[rate of 不要]

(18) During *the course of* constructing the building, he resigned; but he was asked to stay on until it was completed.

(そのビルの建築中に彼は退職したが，完成するまで残留するように依頼された)

the course of が不要だが，次のように改めると更にすっきりする。He resigned during constructing the building, but was asked to stay until it was completed.

しかし，この種の phrase も修飾語を伴うと削除できなくなり，その効果を表わす。

(19) The neuron switches function at *the relatively slow rate of* 1/10,000 of a second.

(神経細胞スイッチは，1 万分の 1 秒という比較的遅い速度で働く)

17.2.3 a total of，an amount of などに注意

量(quantity)を表わすケースの多い科学・技術分野では，「10 個のスイッチ」「蒸気は…」で良いものを，わざわざ「合計 10 個のスイッチ」「蒸気の量は…」ということが多いが，「合計」とか「量」は不

要である。

(20) The rear panel includes *a total of* twenty switches.

(リアパネルには，(合計) 20 のスイッチが付いている)

[a total of 不要]

(21) Making the electronic devices small reduces the *amount of* electricity needed to run them.

(電子機器を小型にすると，それらを運転するのに必要な電気量が減少できる)

[amount of 不要]

(22) *An enormous amount of* fuel must be burned to put a relatively small *amount of* weight into orbit.

(比較的軽量のものを軌道に乗せるのには，莫大な量の燃料を燃やさねばならない)

[文頭の An enormous amount of は Enormous か Much だけにする。small amount of は small とする]

(23) At this stage the temperature in the reaction vessel should not exceed *a value of* 25℃.

(この段階で，反応器の温度は，25℃ (の値) を越えない方が良い)

[a value of も乱用されているが，多くの場合不要である。なお，この文では the temperature in も不要]

(24) The hydrolysis product is oxidized by the neutral solution to *the extent of* 5%.

(その加水分解物は，その中性溶液を使えば 5% (の程度) まで酸化する)

[the extent of は不要だが is oxidized to 5% by the neutral solution としても良い]

(25) *The temperature of* this furnace was kept between 1000 and 1500℃.

(この炉 (の温度) は 1000℃ から 1500℃ の間に保たれた)

[The temperature of は不要]

17.2.4 the form of，the state of などに注意

「…では」で良いものを「…の場合 / 形 / 状態で（は）」と表現されていることがある。

(26) Light is propagated *in the form of* transverse waves.
（光は，横波（の形）で伝わる）
[the form of 不要]

(27) Some of the products of these will almost certainly get into the final metal in *the form of* impurities.
（これらの生成物の中には，不純物（の形）で最終金属のなかへほぼ確実に入り込むものもある）
[the form of が不要というより in the form of を as に替えたい。]

(28) *The state of* stress can be studied theoretically and experimentally.
（応力 [の状態] は，理論的にも実験的にも研究できる）
[The state of 不要]

(29) *The condition of* weightless adds to the problem because there are fewer messages from muscles and joints.
（筋肉や関節から来る命令は少なくなるので，無重力 [の状態] が問題を増すのである）
[The condition of は不要]

(30) Cut a sheet of paper *in the shape of* a right triangle.
（1 枚の紙を正三角形（の形）に切りなさい）
[the shape of は不要]

(31) *In the case of* silicon or germanium rectifiers, it is dissipated as non-radiant "lattice vibrations" and heat energy.
（シリコンかゲルマニウムの整流器（の場合）では，非発光性の「格子振動」と熱エネルギーとして，それは発散される）
[the case of は不要]

17.2.5. a model of，a type of などに注意

「古い車」「安い携帯電話」で良いものを，「古いモデルの車」「安

いタイプの携帯電話」というようなものである。

(32) Several of the major manufacturers sold as many closed as open *models of* automobile for the first time.

(いくつかの主要メーカーは，初めて，屋根なしのオープン型と同数の屋根付きの箱型の自動車を販売した)

[models of は強いて削除しなくても良いが，open automobiles の方が簡潔である。Several of the も Several だけで良い。]

(33) The air conditioner was replaced with a rigid, inexpensive *type of* new one.

(そのエアコンは頑丈で，高価でない新型と交換された)

[type of は不要で，代わりにコンマを置く。]

以上のほかに，degree of, level of, number of, quantity of, range of, space of などにも同じ現象が起る。

17.3 抽象的な語句

いたずらに文を引き伸ばすための，いわゆる，余計な語句(padding)というより，むしろ，文のリズムを保つために，論理的には不必要と思える語句を用いる文が科学・技術文に多い。一般の文では，これらの語句は強調のために多用されるようだが，科学・技術分野では慣習によるようだ。このために疑似的な堅苦しさをかもし出すと同時に wordy にもなり，冗漫さが共存するので，簡潔さとは逆の方向に走ることもある。修辞学上の冗言法(pleonasm)の一種と考えてよく，語句もほとんど決まっている。

(34) In the automobile *field*, the industry has been computerized.

(自動車業界では，コンピューター化されている)

(35) In the *field* of the printing business, computers can hyphenate words properly.

(印刷業の分野では，コンピューターは，単語を適切にハイフンで分ける)

このような現象は和文を英訳する際に特に多く，例文(34)は The

automobile industry has been.... で文を始める方がすっきりし，(35) も In the printing business,.... で良い。

(36) *In this field*, the data is transmitted by electrical pulses and recorded magnetically.

(この分野では，データは電気パルスで送信され，磁気により記録される)

このIn this field は，I believe/think that.... と同様，何の効果もなく用いられているので削除。

(37) ... the pictures would have to be transmitted over *a distance of* 240,000 miles.

(画像は24万マイルの距離にわたって，送信されねばならないだろう)

(38) Thus, the flowchart becomes more extensive and more detailed, clearly showing all decision points, and providing for all variations and conditions that may arise in *the course of* computer processing.

(従って，フローチャ ― トは一層膨大，かつ詳細になり，あらゆる解決点をはっきり示し，コンピューター処理において起こりうる，あらゆる変化や条件に備える)

(37)，(38) のイタリックの語句は不要。

その他，散見する語句をあげると , *the amount of* materials saved (節約された材料の量) における amount や，All fell at *the same rate of* speed. (すべての物が同じ速度で落下した) の rate も科学・技術文では決まり文句のように散見するが，ほとんどの場合，不要である。それぞれ the materials saved ｜ All fell at the same speed. で良い。

(39) *In the case of* methyl oxalate, the melting point is 51℃ and boiling point is 162℃.

(しゆう酸メチルの場合, 融点は 51℃ であり, 沸点は 162℃ である)

普通は，In the case of は不要で，Methyl oxalate melts at 51℃ and boils at 162℃. が簡潔で良い。

(40) *On the basis of* these figures, it is evident that we can neglect effects such as

gravity or other external forces,

(これらの数字を基にして考えると，重力か他の外力を無視できるのは明らかである)

の文も，these figures を強調するのでなければ，These figures show clearly that we can neglect effects such as …. が明確で良い。

以上のほかに condition，consideration，event，facility，factor，interval，length，majority，method，nature，period，point，problem，process，situation，state，tendency，value，width などが思い当たるが，今まであげた例文のように，常に，後に of phrase が続くとは限らない。The material was in a wet condition.（その材料は，濡れた状態にあった）｜ The device is an impractical *nature*.（その装置は，実用に適さない性質のものである）の両文は，普通はそれぞれ The material was wet. | The device is impractical. が簡潔で良い。

次のような無意味か，あるいは，いたずらに語を積み重ねた長い phrase は避けるか，別の短い語句で表わすべきだと主張している米国で発行されている科学・技術英語の参考書が多い。

according as to whether，as far as … concerned，as was to be expected，as a matter of fact，at the present time，as I have pointed out，by and large，by the use of，during the time between，due to the fact that，for the reason that，for the purpose of，from the … point of view，in a number of cases，in connection with，in relation to，in so far as，in spite of the fact that，in the case of，in terms of，in the event of，in the majority of，more or less，now and then，over and above，owing to the fact that，prior to the time that，referred to as，the former/the latter，this sort of thing，with a view to

これらの中には，形式上好ましくないものもあるが，すべてを全面的に避けるべきだと決め込むのは早計だろう。先に述べた amount，course，distance，field，なども，軽率な使用は避けるべきだろうが，強調するようなコンテキストの場合など，使うべきところには使わねばならない。

17.4 類語の重複

科学・技術文では，次のような不注意による類語の重複 (tautology) が多い。

continue *on*, *necessary* essentials, repeat *again*, *surrounding* circumstances, an empty box *without anything in it*, successively *one after another*

最後の句は successively か one after another かの，いずれかを用いるだけで良い。不注意による類語の重複は好ましくないとされている。しかし，この現象は英語だけではない。日本語でも，無意識の内に，次のような言い方をしている場合がある。

「受注を受けた」，「あらかじめ予定されていた」，「生産の製造中止」，「下記に述べる」，「第一日目」など。

それぞれ，「注文を受けた」，「あらかじめ決っていた」，「生産の中止」，「次に述べる」，「一日目」などが良い。

この種の現象は，日本人の書いたものに多いので，散見するものを次に述べる。イタリック体 (日本語は下線部) が不要である。

(41) The test piece rotates *in a circular movement.*
(試験片は，<u>円運動をしながら</u>回転する)

(42) The equipment is operated by a hand lever *which is held by the hand.*
(この機械は，<u>手で制する</u>手動レバーで作動する)

(43) Many modern engineers *of today* are recommended first to try to understand these processes.
(<u>今日の</u>現代の技術者の多くは，まず，これらの過程を理解しようと心掛けることが推奨されている)

(44) It is presumed that the age of the planet is about two billion years *old.*
(その惑星は 20 億年<u>の年</u>が経っていると推定されている)
[あるいは the age of を削除する]

(45) They decided to introduce the process, but the *resultant* effect was not what they had anticipated.
(彼らは，その過程を導入することに決めたが，その<u>結果として生じた</u>効果は期待していたものではなかった)

(46) The weight of the ball is two pounds *in weight*.

(その球の重量は，2 ポンドの重さである)

(47) If necessary, it should be viewed through dark glasses *in color*.

(必要なら，暗色の色をした眼鏡をかけて見なくてはならない)

(48) The normal scientists of the 19th century pictured the atom as a homogeneous, incompressible particle, probably spherical *in shape*.

(19 世紀の通常の科学者は，原子を恐らく球形の形をして均一の圧縮不能な粒子と想像していた)

(49) On the other hand, *however*, I believe that the cast phosphor bronzes are suited for the bearing.

(しかしながら，他方，鋳造した燐青銅は，その軸受に適していると私は信ずる)

[状況によっては，この文の I believe that も不要である]

(50) The transistor was *inserted and* enclosed in a glass vessel.

(このトランジスターは，ガラスの容器に入れられて納められていた)

(51) This tower will be without doubt the highest *tower* in the world.

(この塔は疑いなく，世界一の高さになるだろう)

[この文のイタリックの語も必要でない]

この種の無意味な語句（deadwood）には，容易に気付くが，類語反復（tautology）には，うっかりする場合が多いので注意した方が良い。

ここで述べた不要表現(redundant expression)には，機械翻訳の場合とか，職業として翻訳をしている方々は，特に注意が肝要である。

18. 適切なスタイルの選択

科学・技術分野の研究論文や実用文，つまり，契約書，提案書，カタログ，説明書，インストラクションなどには，それぞれ特有のスタイルがあり，これを守らないと読み手は真意が理解できないので，折角の研究や成果が無視され，仕事もできなくなるので修得しなければならない。

イギリスの言語学者の本によると，日本の専門職に従事している人が書いた文書で92％がスタイルを無視しているので理解に苦しむと書いている。

次の日本文を，色々なスタイルに書き分けてみよう。

「高速度で回転している部分は，十分に潤滑されていなければならない。」

(1) The parts which rotate at a high speed must be well lubricated.

この英語は，英語を勉強した大学一年生が書いた学校英語である。実用文では，

(2) The parts rotating at a high speed require sufficient lubrication.

或いは，更に簡潔に

(3) The high-speed rotating parts require sufficient lubrication. で，論文調である。

契約書は，契約の shall を使って，

(4) The high-speed rotating parts shall be lubricated sufficiently.

提案書調は，提案の should を使って，

(5) The high-speed rotating parts should be lubricated sufficiently.

カタログ調は，「当社の製品の高速回転部分」となるので，

(6) Our high-speed rotating parts are lubricated sufficiently.

説明書の英語は，「お買い上げの製品の高速回転部分」となるので，

(7) Your high-speed rotating partsd are lubricated sufficiently.,

インストラクション調は，指示するので，

(8) Lubricate sufficiently the high-speed rotating parts.

のような，スタイルになる。

(6) カタログ調，(7) 説明書調，(8) インストラクション調の英語で，文語的 (formal) な英語から解放されたければ，sufficiently を enough に変えても

良いし，或いは，原文を The parts rotating at a high speed にして，

(9) The parts rotating at a high speed are lubricated enough.

でも良い。

19. 句読法

文中の構文関係を読者に正しく理解させる一助となるものが，句読法(punctuation) の役目である。従って，句読法を誤ると，内容を誤解させることになりかねない。ここでは，科学・技術英語に頻出する記号，符号についても参考までに説明する。

- ’ apostrophe (アポストロフィ ; 省略符)
- [ ] brackets; square brackets (角カッコ)
- A capitalization (大文字使用)
- : colon (コロン)
- , comma (コンマ)
- — dash *or* M dash (ダッシュ，あるいは M ダッシュ)
- - hyphen *or* N dash (ハイフン，あるいは N ダッシュ)
- italics (イタリック体)
- 3 numeral (数字)
- ( ) parentheses; round brackets (丸カッコ)
- . period (終止符 ; 省略符 ; リーダー)
- ? question mark (疑問符)
- quotation mark (引用符)
  ‘ ’ single quotation marks (一重引用符)
  “ ” double quotation marks (二重引用符)
- ; semicolon (セミコロン)
- / solidus (斜線記号) [slant, slash, oblique とも言う]

他に，asterisk (星印 [*])，bold face (肉太活字 ; ボールド体)，centered dot（中黒)，double brackets（二重丸括弧)，… ellipsis（省略符号)，small capital (スモールキャピタル) などがある。

19.1 apostrophe（省略符）

19.1.1 所有格の名詞

(1) a *day's* work (1 日の仕事), an *hour's* delay (1 時間の遅れ), *Tokyo's* atmosphere (東京の空気)

2 つ以上の名詞が所有格になるときは，すべての名詞に 's を付ける : *Saito's* and *Aoki's* automobiles (斎藤と青木それぞれの自動車)。ただし，2 つ以上の名詞が共同を表わすときは最後の名詞にのみ 's を付ける : *Michelson* and *Morley's* experiment on light (光に関してのマイケルスンとモーレー共同の実験)。

-s で終わる複数名詞は，'s の代わりに ' だけを付ける : the *engineers'* handbook (技術者用ハンドブック)

-s で終わる単数名詞は 's でも良いが，通常は ' だけを付ける : a *waitress's* uniform; a *waitress'* uniform。

場所の名や研究所名などでは ' 符号を省略するのが普通である : *Harpers* Ferry, General *Motors* Corporation, Home *Furnishings* Industry Committee

19.1.2 文字の省略

(2) a) *Don't* walk. (歩くな)

b) '19 Chrysler (2019 年型クライスラー)

19.1.3 文字，記号，数字などの複数

(3) a) Underline your *t's*. (t には下線を引け)

b) two *30's* (30 が 2 つ)

文中では 's を付けて，その語をイタリック体で表わすのが普通である。There are three *you's* in the sentence. (その文には you が 3 つある)

大文字で終わる語が複数のときは s のみを付けても良い : The first terminal receives *IDLEs*, and the second terminal sends them. (最初の端子が IDLE を受信し，2 番目の端子はそれらを送る)

[IDLE's でも良いが IDLES は不可。最後の S を，省略された語の頭

字と解されるからである]

19.2 brackets（角カッコ）

square brackets とも言う。中カッコ({　}) は braces と言う。

19.2.1 筆者の説明や注釈

(4) They say that the device needs an *accelerometer* to sense movement of the ship in the vertical plane. [italics mine]
(その装置には，垂直面での船の動きを検知する加速度計が必要であると言う [イタリック体は筆者])

(5) … I also saw the wake of a boat on a large river in the Burma-India area … and a bright orange light from the British oil refinery to the south of the city [Perth, Australia].
(私は，また，ビルマ・インド地城の大きい河を船が航跡するのを見た…そして，イギリスの石油精製所から輝くオレンジの光を市の南方 [オーストラリアのバース] に見た)

19.2.2（　）の中

(6) The brightness shades of the space pictures are divided into signal strengths (numbered from 0 [white] to 63 [black])
(宇宙写真の明暗は，信号の強度へと分けられる(0[白] から 63[黒] の番号) が付けられている)

ただし，集合を表わす符号では {[(　)]} の順になる。

19.2.3 ラテン語の sic と共に

ラテン語の *sic* (原文のまま) と共に用いる。

原文の誤りと思える語句を，そのまま引用するとき [*sic*] と角カッコで囲む。

(7) It was stated that Laika was put in orbit by the USSR on November 4 [*sic*], 1957.

（ライカ犬はソビエトによって，1957年11月4日［原文のまま］に軌道に乗せられたと言われた）

19.2.4 発音記号

発音記号を表す

(8) Fortunately, Alexander Graham [grėiəm] Bell, who invented the telephone, did not have to discover these principles.
（幸いにも，電話の発明者であるアレキサンダー・グラハム・ベルは，これらの原理を発見する必要はなかった）

19.2.5 「…ページから続く」「…ページへ続く」の句

(9) [*Continued from page 150*], [(*To be*) *continued on page 100*]

通例イタリック体にする。

19.3 colon 〈コロン〉

19.3.1 文の大きい切れ目

文の大きい切れ目を示す

2文の関係を，ピリオドで切った場合よりも密にしている。意味の切れ方から考えれば，ピリオドとセミコロンの中間である。

(10) When solder is molten, it has an amazing property: it actually dissolves certain other metals, in much the same way that sugar dissolves in hot coffee.
（はんだが溶解するとき，驚くべき特性を持つ。砂糖が熱いコーヒー内で溶けるのとほとんど同じように，実際にある種の他の金属を溶かすのである）

(11) In thinking of matter in molecular terms and in drawing diagrams to represent its structure, there is a strong tendency to regard the molecules as stationary: but while this is often convenient it doe not represent the true state of affairs.
（分子の観点から物質を考え，その構造を表わすのに図を書くと

き，分子を静止しているものと見る傾向が強い。しかし，この見方は便利なことは多いが，物の真の状態を表わしてはいない)

19.3.2 主題と副題の間

(12) Large Bulks of Water: Tracing Sewage in the Sea
(多量の水：海水中の廃水の追跡)

(13) Elastic Stress Distribution: Internal Pressure and a Steady State Temperature Gradient.
(弾性応力分布 : 内圧と定常的温度こう配)

19.3.3 「すなわち」に相当

「すなわち」に相当する

(14) In Apri1 1963, Bell launched the biggest American ACV yet built: the SKMR-1 *Hydroskimmer*.
(1963 年 4 月に，アメリカでこれまで作られた最大の ACV [エア・カー]，つまり，SKMR-1「ハイドロスキマー」をベル会社は進水させた)

(15) There are four major subsystems: (1) atmospheric, (2) water, (3) waste-management, and (4) temperature.
(主要サブシステムが 4 つある：(1) 大気，(2) 水，(3) 廃物管理，(4) 温度である)

(16) Right: 1966 model of the Apollo space suit.
(右 : 1966 年型のアポロ宇宙服)

19.3.4 as follows, the following の後

as follows, the following などの後

(17) The purposes of TVA were as follows:

1. Flood control
2. The production of electric power
3. ....

(TVAの目的は，次のようであった。1. 治水，2. 電力の生産，3. …)

(18) The following are six steps to a perfect joint:

1. Clean the tip of the iron before starting

2. Tin the tip carefully

3. ….

(次は，完全なはんだの付け方についての6つのステップである。1. 仕事を始める前に，こての先をきれいにする。2. はんだの先を注意深くスズをかぶせる。3. …)

19.3.5 手紙の挨拶の英語の後

アメリカ式に多い。イギリス式はコンマを用いることが多い。

(19) a) Ladies and Gentlemen:

b) Dear Mr. Blakeslee:

19.3.6 時間と分，本の巻数，ページの間

時間と分の間や本の巻数とページの間

(20) a) 3:30 p.m./9:30 train

ただし，時間については，イギリスではピリオドを用いる傾向が強い。3.30 p.m.

b) Americana 11:33 (アメリカーナ 11 巻 33 ページ)

19.3.7 出版社の所在地と出版社名の間

参考文献一覧などで，出版社の所在地と出版社名の間に用いる。

(21) Hick, Tyler G. (2019) *Successful Technical Writing*, New York: McGraw-Hill, xi+294 pp.

19.3.8 タイトルの副題の前

Successful Technical Writing: A New Method

19.4 semicolon（セミコロン）

period と comma の中間を意味するが，comma より大きい句読点。

19.4.1 comma より大きい区分

comma で区切るよりも，さらに大きく区分するとき

(22) Instruments on the panel display information that requires crew members to take certain actions; these are monitored by the control computer, which compares them with what they should be and changes the displays accordingly.
(パネル上の計器は，乗組員にいろいろな行動をするように要求する情報を示す。これらの行動は，制御コンピューターにより監視され，彼らが行なうべきことと比較されて，表示はそれによって変えられる)

23) Up to this point, there is nothing special about the light-emitting process just described; practically all light sources generate their light in this way.
(今，述べた光の放出プロセスについて，ここまでのところ，別に特別なことはない。実際上すべての光源は，この方法で光を放出している)

19.4.2 文を接続詞的に結ぶ

節が accordingly, also, besides, consequently, ever, furthermore, hence, however, indeed, moreover, nevertheless, otherwise, then, therefore, thus などで結ばれるとき，comma の場合よりも，これらの語に強さが加わる。

(24) The motion here is assumed to be parallel to the direction of the electric field; *otherwise* the particle does feel a force altered by relativity.
(ここでは，運動は，電界の方向に平行と仮定されている。そうでないと，粒子は，相対論によって変換された力を感じることになる)

(25) In Figure 8, the light waves emitted at the right from the laser are shown as a progression of plane waves having high spatial coherence; *in addition*, the nature of the light generation ensures that these waves have high frequency coherence.

(図 8 には，レーザーから右で放出された光波は，高い空間的コヒーレンスを持つ平面波の進行として表わされている。さらに，その光が発生する性質から，これらの波は，高い時間的コヒレンスを持つことが保証される)

(26) Webster's dictionary defines diffraction as "A modification which light undergoes, as in passing by the edges of opaque bodies or through narrow slits, in which the rays appear to be deflected, producing fringes of parallel light and dark or colored bands; *also* the analogous phenomenon in the case of sound, electricity, etc."

(ウェブスターの辞書では，回折を次のように定義している。「光線が不透明な物体の端か狭いスリットを通過するときなどに受ける変化であり，そこでは，光線は偏向されたように見え，平行な明暗の縞か色の付いた帯を作る。また，音や電気などの場合の類似した現象についても言う」)

(27) Near the slit of Figure 10, the light pattern remains the same width as the width of the slit; *that is*, the beam remains completely collimated in this region.

(図 10 のスリットの近くでは，光のパターンは，スリットの幅と同じ幅のままである。すなわち，ビームは，この領域では完全に平行のままである)

19.4.3 2 つ以上の語句，節，文など

2 つ以上の語句，節，文などが等位接続詞で結ばれていないとき，2 つの文をピリオドで切ることもできるが，semicolon のほうが 2 文の関係が強い印象を与える。

(28) Already, a percentage of those born are maimed by lack of protein in

the first year of life; they die not from cancer but from malnutrition combined with all the intestinal diseases of dire poverty.

（生まれる子の一部分は，すでに，最初の年に蛋白質不足により不具になっている。彼らはガンからではなくて，極度の貧困が原因のあらゆる内臓病に伴う栄養失調から死ぬのである）

(29) This photo portrays only the amplitude of these sound waves; a similar photo showing the wave pattern is Plate 9.

（この写真は，これらの音波の振幅だけを描いている。波のパターンを示す同じような写真が，図版 9 である）

(30) We have already noted the dark areas where the distances differ by one half-wave-length; a second pair of dark areas are seen at the upper and lower parts of Plate 8; these are directions for which the two waves sets differ by three half-wave-length.

（その距離が半波長だけ異なっている暗い領域は，すでに言及した。もう一つの 2 番目の 1 対の暗い領域が図版 8 の上下部に見られる。これらは 2 つの波が，3 つの半波長だけ異なる）

(31) In the center is sketched the third order mode; this oscillation has a frequency three times that of the oscillation at the top; it is said to be its third harmonic.

（真ん中に，三次のモードが描かれている。この発振周波数は，一番上の発振周波数の 3 倍であって，第三高調波であると言われている）

19.4.4 両文を明確に区切りたいとき

文中にコンマなどがあり，その両文を明確に区切りたいとき。

(32) Because very few are stimulated into falling back to the ground state, a much larger population inversion is achieved; many atoms are elevated to their metastable state, and few can leave it.

（誘導されて基底状態に落ちるものはほんの僅かなので，更に大きな分布反転が起こる。多くの原子は，それぞれの準安定状

態にまで引き上げられ，それを離れることのできるものは殆どない）

(33) That is, if this level is to be excited by resonance absorption of a photon, the photon energy must be 100 keV plus or minus 5× 10-9 eV; its energy must equal the level energy to within five parts out of 1014.
（つまり，この準位が，光子の共鳴吸収によって励起される場合，光子のエネルギーは，100 keV±5×10-9 eV でなければならない。光子エネルギーは，準位のエネルギーに 5/1014 以内で一致しなければならない）

19.5 comma（コンマ）

コンマの使用は各自の判断にゆだねられる場合が多い。しかし，コンマを用いないで，The towels are in the closet near the bathroom on the shelf. のように書くと，「タオルは，棚の上の浴室の近く」となり，内容的におかしくなる。コンマを用いて，The towels are near the bathroom, in the closet, on the shelf. では，「タオルは，浴室の近くと，戸だなと，棚の上にある」になる。いずれにしても near the bathroom は文尾にした方が良い。

19.5.1 長い従属節

(34) *When the hose is removed*, power shuts off.
（ホースを抜くと，電気は切れる）

(35) *If the picture is not stored in this way*, they will be available only from areas within 1,200 miles of a station.
（画像がこの方法で記憶されないと，局から 1,200 マイル以内の地域からしか画像は得られないだろう）

従属節が主文の後に置かれると，従属節の前にコンマを殆ど付けない。次例参照。

(36) A diesel engine converts heat into mechanical energy *since it is a heat engine*.

（ディーゼル・エンジンは熱を機械エネルギーに変える。それは熱機関であるからである）

19.5.2 副詞句の後

(37) *With the internal combustion engine*, the combustion takes place inside the cylinder.

（内燃機関の場合は，燃焼はシリンダー内で起こる）

(38) *In the United States*, factory-built houses came into prominence in the 1990's.

（アメリカでは，工場で生産される住宅が 1990 年代に目立つようになった）

短い副詞句の後では，コンマを付けないこともある。次例参照。

(39) *To assure proper ventilation* the top of the machine should be eight inches below the ceiling.（適切な換気を確実にするには，機械の上部を天井から 8 インチ下に離すべきである）

コンマを付けなければ読者が戸惑う場合は，必ず付けること。次例参照。

(40) To locate fine cracks, inspect the concrete surface closely.

（細かいクラックを突き止めるために，コンクリートの表面を注意深く検査せよ）

[inspect の前にコンマがないと，読んでいて cracks までが主語で inspect が述語動詞かと，戸惑うことがある]

倒置により副詞句が述語動詞の前にきた時は，副詞句の後にコンマを付けない。次例参照。

(41) *In the automobile industry* comes the work of transporting the finished product.

（自動車産業では，完成品を輸送する仕事が出てくる）

19.5.3 等位接続詞 and, but, for, or などの前

重文中の等位接続詞 and, but, for, or などの前に多用される。

(42) The most commonly used type are the straight spur gears, *but* another type of spur gear is also used.

(最も普通に用いられているギアは直刃歯車であるが，別のタイプのはすば歯車も使われている)

等位接続詞に導かれる文が短いときは，コンマを付けないことが多い。

(43) The miniature equipment will not give off as much heat *and* it is apt to be more reliable.

(小型化した機械は，大型の機械ほど熱を出さないので，より信頼される傾向にある)

主語が省略されているときは，通例，コンマを付けない。

(44) Thermal power plants cannot shut down completely and then start up again quickly.

(火力発電所を完全に停止し，そして，すばやく再操業させることはできない)この文では述部の cannot も省略されている。

ただし，主語を省略しても，A, B, and C のような形ではコンマをそれぞれの文の後に付ける。

(45) The unit is elevated, moved right, and is replaced.

(その装置は持ち上げられ，右へ動かされ，そして交換される)

19.5.4 主語と述語の間の副詞句 / 節

通常，コンマで囲む。

(46) The lens thickness, *at this point*, can be reduced to its original center thickness.

(レンズの厚さは，この点では，最初の中心の厚さまで戻せる)
[at の前にコンマがないと the lens thickness at this point (この点におけるレンズの厚さ) と解されるので，コンマは必要である。「一対のコンマは括弧を意味する」と解すると良い]

しかし，次のような場合はあってもなくても良い。

(47) Zinc sulfide, *for instance*, may be roasted in an atmosphere with a high

sulfur dioxide and oxygen content to produce zinc sulfate.

（例えば，硫化亜鉛は，高濃度の二酸化イオウと酸素を含む気体中で倍焼し，硫酸亜鉛を生産することができる）

(48) One of the carbon lines, *in fact*, slopes downward.

（実は，炭素の線のうち1つは，下降線を描いている）

これら(47)と(48)の文では，for instanceとin factをコンマで囲まなくても内容の相違はきたさないが，コンマを付けることが多い。

(49) The theories of elasticity and plasticity, *as applied to metals and alloys*, are based on experimental studies of the relations between stress and strain in a polycrystalline aggregate under simple loading conditions.

（弾性および塑性の理論は，金属や合金へ応用する場合，単純な負荷状態のもとにおける多結晶体内の応力とひずみの関係に関する実験的研究を基礎にしている）

(50) Unfortunately carbon or carbon monoxide reduction, *although quite a cheap method*, cannot be used with every ore.

（炭素か一酸化炭素による還元は安価な方法だが，残念ながら，どんな鉱石にも使えるとは限らない）

次例は，コンマの有無により内容が変わるので注意。コンマがないので直前の語の形容詞句となっている。

(51) The graphs in the region covered by the diagram, do not rise with temperature.

（この線図に示された範囲内のグラフは，温度の上昇と共に上昇はしない）

この英文は，The graphs, in the region covered by the diagram, do not rise....のようにin the region covered by the diagramをコンマで囲めば，「グラフは，この線図に示された範囲内では，温度の上昇と共に上昇しない」ことになる。つまり，in the region covered by the diagramはdo not riseを修飾することになる。

(52) One consequence of the vast progress of technology over the past 20 years has been the increase in need for precise control to hitherto

unprecedented degree.

(過去 20 年にわたる科学技術の膨大な進歩の結果の 1 つとして，これまで前例のないほど精密な制御の必要性が高まってきた)

この文は，....of technology, over the past 20 years, has been the increase in.... とコンマで囲めば，over the past 20 years は has been the increase in を修飾することになり，「科学技術の膨大な進歩の一つの結果として，過去 20 年間にわたり，これまで前例のないほどの精密な制御の必要性が，高まってきた」のことになる。

19.5.5 述語の後の句 / 節

be 動訓の後などの挿入句 / 節をコンマで囲むことが多い。内容の理解の一助となっている。

(53) Eighteen inches in diameter, it was constructed at the time of World War II and was, *to the author's best knowledge*, the first two-dimensional wave-guide lens.

(それは直径 18 インチ [45 センチ] で，第 2 次世界大戦時に作られ，筆者の知る限りでは，最初の二次元導波管レンズだった)

(54) Figure 8 shows how the circular pattern of microwaves issuing from the wave guide at the left can be converted, *by a metal microwave lens*, into the plane-wave microwave pattern displayed at the right of the lens.

(図 8 は，左側の導波管から出るマイクロ波の円形パターンを，金属マイクロ波レンズが，レンズの右側に示されている平面波のマイクロ波パターンに変換できる方法を示している)

19.5.6 形容詞句 / 節

名詞に続き，その名詞を限定的に修飾する形容詞句 / 節の前には，コンマを置かないほうが良い (55)(56)(57) が，非制限的で，単に叙述的であって，コンマを付けても内容に相違をきたさなければ，通常，コンマで囲む (58)(59)。

(55) A sound wave *having a frequency of 1100 cycles per second* has a wavelength of one foot.
(周波数1100サイクル毎秒の音波のもつ波長は，1フイート [30.5センチメートル] になる)

(56) The directional properties of the horn *used with the parabolic dish* strongly affect the effectiveness of the combination.
(放物面の皿と一緒に用いられるホーンの指向特性は，組み合わせの効果に強い影響を及ぼす)

(57) Lithium iodide is a good phosphor *in which the recoiling particles produce good scintillations.*
(沃化(ようか)リチウムは，反跳粒子によって塵閃光を十分出す，良い蛍光体である)

(58) This unwanted effect, *caused by efforts to make the unit effective over a wide range of frequencies*, is not present in the horn-lens combination of Figure 30 when it is used for sound waves.
(この好ましからぬ効果は，装置を広い範囲の周波数にわたって有効に働かせようとする努力が原因であるが，図30のホーン・レンズの組み合わせでは，音波に対して用いた時は現われない)

(59) These kinds of dislocations are actually more likely to involve whole rows or planes of atoms, *which end abruptly in the interior of the crystal.*
(この種の転位は，実際には，原子の全体の列か面を包含することが多く，それは結晶の内部で突然終わっている)

19.5.7 分詞構文

分詞構文の句の後にはコンマを置く。文尾の分詞構文には，その前にコンマを置く。

(60) *Depending* upon the needs of the final application, impurities have to be removed to a given standard.
(最終用途の必要に応じて，不純物は所定の規格まで取り除か

れねばならない)

(61) When this complicated photographic pattern is developed, fixed, and re-illuminated, light will be diffracted by the hologram, *causing* all the original light sources to appear in their original, relative location, thereby providing a fully realistic three-dimensional illusion of the original scene.

(この複雑なパターンの写真を現像し，定着し，再び光で照らすと，光はホログラムで回折され，元のすべての光源は，その元の相対的な位置で現われることになり，元の場面の完全に本物そっくりの三次元の姿を現わす)

19.5.8 挿入的要素

論理的な関係が薄くなれば，ダッシュかカッコを用いる。

(62) One difference that has existed, *at least until quite recently*, between light on the one hand and sound and microwaves on the other involves the coherence of the sources of these three classes of radiation.

(光と音やマイクロ波との間に少なくともごく最近まで存在していた 1 つの違いは，これら 3 種類の放射の波源の干渉性に関するものである)

(63) Typical of these systems was that used with *Gordo*, *a monkey*, who rode a ballistic path through space in the nose cone of Jupiter missile.

(この方式の代表的な例は，ジュピター・ミサイルのノーズ・コーンの中で宇宙を弾道飛行したサルのゴルドに使用された方式であった)

[この例ではGordoとa monkeyが同格である。しかし，同格でも，制限的な関係にあるときはコンマで囲まない。(64) 参照]

(64) The processing of the Mariner IV pictures transmitted from *the planet Mars* to Earth was an example of image processing.

(火星から地球へ送られたマリナー 4 号の写真の処理は，イメージ処理の一例だった)

19.5.9 同じ機能の形容詞が並ぶとき

1つの名詞に同等の機能をもつ形容詞が2つ以上並ぶときコンマを付け，andで結ばないことが多いが，a black and white film（白黒のフイルム）のように，色を表わす形容詞とか，north and south（南北）のように対になっているものはandでつなぐのが通例である。

(65) *Presawed*, *standardized* parts speed construction of both *large and small* homes.（前もって切断され，規格化された建築用材は，家の大小を問わず，建築を速くしている）

[Presawed and standardized partsのことだが，andは付けない]

(66) The typical design of the modern regular camera is one with a *non-extending*, *rigid*, *light-tight*, *box-form* body which carries a lens and shutter at the front end.

（現在の普通のカメラの代表的なデザインは，ジャバラ式でなく，剛体で，光を通さず，箱形のボディーであって，前面にレンズとシャッターが付いている）

しかし，次例のように，同一の名詞は修飾するが，等位関係にないときはコンマで切らない。

(67) Professor Britton is a kind old engineer.

（ブリトン教授は，親切な老技術者である）

[このa kind old engineerはa kind and old engineerとならないし，a kind, old engineerのようにコンマでも切れない]

形容詞だけ並んで名詞がないときには，最後の形容詞の前にandを置く。

He was young, eager, and restless.（彼は若くて，熱心で，せかせかしていた）

19.5.10 等位関係の文

説明書やカタログ類に多く，A, B, and CとしないでA, B, Cとする表現法。矢継ぎ早に鋭明して行く上には効果的である。

(68) Accelerate to the speed you choose, then press the button on the end

of the turn signal lever, automatically that speed is maintained.

（希望の速度に加速し，次に，ターン・シグナル・レバーの先端に付いているボタンを押してください。その速度は自動的に保てます）

口頭における抑揚に代わるものが，この種のコンマの用法である。

19.5.11 that is, namely, e.g., i.e. の（前）後

(69) Heat will be transferred until the molecules of both bars are moving at the same speed—*that is*, until the bars are at the same temperature.

（熱は両方の棒の分子が同じ速度で動き続けるまで，すなわち，棒が同じ温度になるまで伝達される）

(70) He asked the question to several of his friends, *namely*, Jack, Maths, and Stevenson.

（彼はその質問を 2, 3 の友人，つまり，ジャック，マス，スティーブンスンにした）

(71) In the United States, some presidents, e.g., Jefferson, J.O. Adams, etc. had previously been secretaries of state.

（アメリカでは，数人の大統領，例えば，ジェフアソン，J.O. アダムズなどは，以前は国務長官だった）

しかし，such as の前には，次例のように，通常コンマを置かない。

tools *such as* a screwdriver, a spanner, and a saw（ネジ回し，スパナー，ノコギリのような道具）

19.5.12 肩書，住所，日付の年号の前

(72) The first man to orbit the earth in a spacecraft was Yuri A. Gagarin, *a major* of the Soviet Air Force.

（宇宙船で地球を回る軌道に出た最初の人は，ユーリ A. ガガーリンであって，ソビエトの空軍少佐だった）

(73) On March 27, *1968*, Gagarin was killed when his two-seater jet aircraft crashed during a routine astronaut training flight.

(1968年3月27日に，ガガーリンは，いつもの宇宙飛行の訓練飛行中に，2人乗りジェット機の墜落事故で死亡した)

手紙のaddressは州の前，都道府県の前にコンマを置くのが普通だが，文中では番地以外はすべてコンマで切る。

(74) His office is located at 21 Baker Street, Elyria, Ohio.
(彼の会社はOhio州ElyriaのBaker Street 21番地にあります)

19.5.13 省略文の前

(75) The ground looks like one piece, *and not divided.*
(土地は1つに見える。つまり，分かれていないように見える)
[The ground looks like one piece which is not dividedのこと]

(76) In New York there are twenty such institutions; *in Ohio, eight; in San Francisco, six.* (ニューヨーク州には，そのような機関は20あり，オハイオ州には8つ，サンフランシスコには6つある)

19.5.14 数字の千，百万，十億…の位

(77) 10,000; 151,524,000

ただし，番地などは付けない。

19.5.15 コンマの誤用

19.5.15.1 2つ並ぶ独立節

独立節(independent clause)が2つ並ぶときは，コンマで切ってはならない。

(78) Actually such absolutely perfect waves do not exist, *however*, the extent to which a wave approaches this perfection can be specified.
(実際には，そのような全く完全な波は存在しないが，ある波がこの完全さに近づく範囲は明確にすることができる)

この文は…do not exist; however, the extent to…. でなければならない。接続詞としてのhoweverは，通常は，セミコロンに続く。

(79) The motion here is assumed to be parallel to the direction of

the electric field, *otherwise* the particle does feel a force altered by relativity.
(ここでの運動は，電界の方向に平行であると仮定されている。そうでないと，粒子は相対論によって変換された力を感じることになるのである)

otherwise は副詞だが，接続詞的に用いられているので，... the electric field; otherwise the particle... と，通常はセミコロンに続く。

19.5.15.2 主語の働きの名詞節

(80) *That converging lenses made of glass are thick in the center and thin at the edges,* should be recalled.
(ガラスでできた収斂レンズは中心が厚く，へりが薄いことを思い出すべきである)
[the edges の次のコンマ不要]

19.5.15.3 名詞の直前の形容詞の後

(82) It was a cold, wet, *miserable*, day.
(寒くて，雨の降る，ひどい日だった)
[miserable の次にコンマを置かない]

19.6 dash（ダッシュ）

M dash ともいい，通常，カッコのように対で用いるが，片方しか用いないときもある。colon, comma, period, semicolon を補う働きをする。カッコと似ているが，カッコよりも強く，文脈のとぎれを強く表わしたいときに用いられる。

19.6.1 別の語で言い換え

(83) There are a great many techniques for separating the powdered mineral from the powdered gangue—concerning the ore—but all of them exploit the different physical characteristics of the two different

types of particle.

(粉状の鉱物を粉状の脈石 — 連鉱に関して — は，分離するのに非常に多くの技法があるが，どの方法も 2 種の粒子の物理的性質の相違を利用している)

(84) There are two main groups of superalloys—those based on nickel and those based on cobalt.

(超合金は 2 つの主要なグループに分けられる。つまり，ニッケルを基にしたものと，コルトを基にしたものである)

19.6.2 挿入語句

(85) It is clear that such a contraption—if it could be built—would have a volume of many cubic feet.

(そういう装置は — もしできたとしても — 非常に大きな容積となることは明らかである)

(86) The next generation of machines, already in the advanced design stage, will probably have basic machine times of a billionth of a second—as compared to a millionth of a second for the present-day machines—which means they will very likely be able to do a billion operations a second.

(すでに高度の設計段階にある次の世代の機械は，10 億分の 1 秒 — 現在のものは 100 万分の 1 秒 — という基本動作時間になろう。つまり，1 秒間に 10 億の操作ができる可能性が，きわめて高いことを意味している)

19.6.3 that is, namely, e.g., i.e. の前

コンマよりも文脈のとぎれが強いとき

(87) A neuron is about the size of a large organic molecule—*that is*, about a hundred-thousandth of a centimeter in diameter —while the axons sometimes extend for several feet.

(ニューロンは，大きい有機化合物の分子と同じくらいの大き

さ — つまり，直径約 10 万分の 1 センチメートルである — 一方，神経繊維は，時には数フィートに及ぶ）

(88) The atoms are stimulated into emitting—*hence*, the words "stimulated emission" in the laser acronym.

（その原子は，誘導されて光を放射する — 従って，laser という頭字語の中に「誘導放射」という言葉が取り入れられている）

(89) The most important simplifying assumption is that plane sections perpendicular to the direction of rolling remain plane—*i.e.*, the deformation is homogeneous compression.

（簡単化する最も重要な仮定は，圧延方向へ直角な横断面は常に平面である — すなわち , 変形は均一圧縮であるということである）

19.6.4 並列する語や句や節

いくつかの語句をまとめて説明する文のあと。コロンでも良い。最後の語にはピリオドを打つ。

(90) Deformation which proceeds under conditions of plane strain is—

1. that the flow or deformation is everywhere parallel to a given plane:

2. that the flow is independent to z.

（平面ひずみ状態下で起こる変形は，次のようである。1. 流れ，あるいは，変形はすべての点で与えられた平面に平行である。2. 流れは z に無関係である）

19.6.5 コロンの後の区分

(91) The types of blank-holder used in practice can be divided into two main classes:

Type 1—The loading is provided by springs, or....

Type 2—Blank-holder load is provided by pneumatic or hydraulic cylinders....

（実際に用いられているしわ押え方式は，次の 2 つに大別できる :

型式 1— しわ押え力は，ばね，あるいは … により供給される。
型式 2— しわ押え板の荷重は，空気圧か油圧シリンダーによって供給される）

19.6.6 語の省略

(92) I met Mr. S — yesterday.（私は昨日 S — 氏に会った）

以上は M dash（全角ダッシュ）の主な用法だが N dash（半角ダッシュ）には，次のような用法がある。なお N dash は M dash の半分の長さであって，ハイフン 1 つで代用される。

19.6.7 時代，日，時間の継続

(93) 2010-2020, June 2020; 10:00-11:30

from 2010 to 2020 でも良いが from 2010-2020 とは書かない。同様に between 2010 and 2020 は良いが between 2010-2020 も不可。

19.6.8 ページ数，参照番号などの継続

pp. 50-55; Spring 10:5-18:15

19.7 hyphen（ハイフン）

ハイフンは 2 つの働きをする。1 つは語を正しく切ることであり，他の 1 つは 2 語以上の各語を 1 語に結合することである。ハイフンの用い方で英語の実力が問われることがあるから注意されたい。recreation は re-crea-tion と rec-re-a-tion に切れるが，前者と後者では意味が異なる。また present なども名詞，形容詞と動詞ではハイフンの位置が変わる。はっきりしないときは，辞書を参照すべきである。

なお，ページの一番最後の語はハイフンで切らないほうが良い。

19.7.1 分綴（スペリング）法の原則

19.7.1.1 発音による方法

発音による方法（アメリカ方式）と語源による方法（イギリス

方式）とがあるが，発音による方法を採用したい。

democ-racy であって demo-cracy ではない。 knowl-edge であって know-ledge ではない）

19.7.1.2 -ed の前で切れない

次のような音節をなさない語 -ed の前では切ることができない。

辞書または発音辞典で確かめることを勧める。

aimed，helped，passed，spelled

19.7.1.3 切れない接続詞

次の接尾辞は切れないので，この前で切る。

-ceous，-cial，-cion，-cious，-geous，-gion，-gious，-sial，-sion，-sure，-tal，-tial，-tion，-tious　など

19.7.1.4 語源

語源で切る

fault-less, mak-ing

19.7.1.5 接頭辞，接尾辞

接頭辞，接尾辞は，その境で切る。

im-possible，im-pover-ish，ir-radiate，sharp-ness，progres-sive

19.7.1.6 -ing の前の同じ子音字

現在分詞，動名詞を作る -ing の前に同じ子音が 2 つ重なるときは，その子音の間で切る。

run-ning，stop-ping

19.7.1.7 長母音，二重母音の直後

長母音，二重母音はその直後で切る。

lu-bricant，i-dea，ma-ter，mi-crophone，hy-drogen

19.7.1.8 アクセントのある短母音の子音字の後

アクセントのある短母音は，次の子音字の後で切る。ただし，th, ph, sh, ch, tch などは 1 字とみなす。

mathemat-ics，proph-esy，ratch-et，rehabil-i-tate，yes-terday

19.7.1.9 2 つ以上の最初の子音字

子音字が 2 つ以上あれば，最初の子音字の後で切る。同じ子音字が 2 つあれば真ん中で切る。

fran-chise，mas-ter，con-vex，propel-ler

19.7.1.10 アクセントのない母音字の次

アクセントのない母音字の次で切る。

ani-ma，binocu-lar，custo-dy

19.7.1.11 語尾の「子音 +l, m, n, r」は子音の前

語尾における「子音 +l, m, n, r」は一音節とみなし，その前で切る。これらは半母音だからである。

ca-ble，peo-ple　pro-gram; pro-gramme　au-tumn

19.7.1.12 ハイフンのある語切らない

ハイフンで結合している語は，通例は，切らない。

19.7.1.13 固有名詞，数字，略字，方程式は切らない

固有名詞 (主として人名)，数字，略字，方程式などは，原則として切らない。

19.7.2 ハイフンを用いる場合

19.7.2.1 名詞に付く 2 つ以上の修飾語

名詞に 2 つ以上の修飾語が付くとき，ハイフンを用いる。しかし，-ly で終わる副詞には不要。(94) a) 参照。つまり a little used car では little が used を修飾するのか car を修飾するのか分からない。もし前者なら a little-used car であり，後者なら a little used-car とする。

(94) a) That was a highly developed machine.
b) They are well-trained engineers.

19.7.2.2 数字のスペルアウト

21 から 99 までの数字をスペルアウトするとき
twenty-one，ninety-nine
3 桁からは 100 のように数字を使う。

19.7.2.3 分数

one-third, two-fifth
ただし a third。ハイフンなし。

19.8 parentheses; round brackets（丸カッコ）

丸カッコは，コンマやダッシュと同様，内容に更に説明を加えたりするときに用いる。コンマほど強い関係を示さない。

19.8.1 説明，補足，例証など

説明，補足，例証などするときに，その部分をカッコで囲む。

(95) The radiation of spectral lines by atoms could be explained by assuming that electrons revolve about the atom's nucleus in certain fixed orbits (like the planets circle the sun) and that each of these orbits represents a definite energy level.
(電子が原子核の周りを (太陽の周りを回る惑星のように) ある一定の軌道で回り，その軌道は，それぞれ一定のエネルギーレベルを表わしていると仮定することにより，原子によるスペクトル線の放射は説明できるだろう)

(96) However, scientists at K.M.S. Industries in Ann Arbor, Michigan, used

a circularly symmetrical object (a champagne glass) as a hologram subject.

(しかしながら，ミシガン州アナバーのKMS工業の科学者は，ホログラムの被写体として，円対称物体(シャンパン・グラス)を使用した)

(97) Some of the light generated by metastable atoms returning to their lower energy state will travel down the ruby rod and be reflected by the reflecting surface, here shown for simplicity as separated from the rod itself. (In most ruby lasers, the ends of the rod are coated, and they act as the reflecting surface.) Much of this light will be reflected back into the rod, and....

(準安定な原子が低いエネルギー状態に戻るときに生じる光の一部は，ルビー・ロッドを伝わり，反射面で反射する。ここでは，[図の]簡素化のため，反射面はロッドから離れているように示してある(たいていのルビー・レーザーでは，ロッドの端が蒸着され，それが反射面として働くようになっている)。この反射光の大部分は，再びロッド内に，戻る。そして…)

19.8.2 列挙するときの数字やアルファベット

文中で一つ一つ列挙するとき，数字やアルファベットをカッコで囲む。

(98) The 'crater-ridge' is made up of

(1) a straight line AB at 45° to the slit MF

(2) a parabola from B to C, focus F, vertex the midpoint of MF

(3) a parabola from C to D, focus F, vertex the mid-point of FG.

(火口の尾根は，次の3つの部分からなる，

(1) スリットMFに対して45°の傾角を持つ直線AB

(2) BからC，F焦点，MFの中点を頂点への放物線

(3) CからD，F焦点，FGの中点を項点への放物線)

19.8.3 相互参照

(99) He predicted that the mean pressure would be equal to 2 k, where k is the yield stress in pure shear, for integral of h/b. (See also Upper Bound Solution, p. 418.)
(h/bが整数の場合は，平均圧力は2 k [kは純粋せん断の降伏応力]に等しくなるだろう，と彼は予言した。(「上昇跳躍解法」p.418も参照)

19.8.4 スペルアウトされた数の後

スペルアウトされた数を確認させるために，その後に数字をカッコで囲む。

(100) We enclose a check for three hundred dollars ($300.00) to cover….
(…に対する支払いとして，300 ドルの小切手を同封いたします)

19.8.5 省略の意味

(101) To err is human, to forgive (is) divine.（過ちは人の常，許すは神の心）

19.9 period（終止符；ピリオド）

ピリオドと次の文との間は，2 スペース空けるのが通則である。

The arrangement of my study is ery simple. In the center of the room is a steel desk.

19.9.1 ピリオドを付ける場合

19.9.1.1 箇条書の数字が囲まれていないとき

箇条書きの際に用いる数字やアルファベットが，カッコに囲まれていないとき。

(102) 1. Flood control (治水)
2. The proper use of land (土地の適切な利用)

3. The production of electric power (電力の生産)

a. Iron (鉄)

b. Copper (銅)

c. Alloy (合金)

19.9.1.2 略字の後

略字の後　Mr.　Mrs.　Dr.

このピリオドはイギリスでは省略されることがある。

19.9.1.3 文の一部の省略

文の一部の省略にピリオドを 3 つ用いる。文末では従って，終止符をつけるので 4 つが普通。

(103) a) There are two ways ... to remedy the situation.

(その事態の救済には… 方法が 2 つある)

b) There is only one way to settle the matter....

(その事態を解決するのにはたった 1 つしか方法がない…)

19.9.1.4 目次のリーダー

目次のリーダーとして，普通はダブルスペースで打つ。

(104)

CONTENTS

Miniaturization 3

Why Is Temperature Rising 10

Industrial Pollution 15

19.9.1.5 表中で記録などがないとき

“no reading” “no measurement” を表わすとき

表などで，いわゆる，「記録なし」を意味するときに 0 (zero) を用いると「記録すべき結果が 0」「反応が 0」という意味になるので，代わりに period を 3 つか 4 つ続ける。計器類では "no strength" を意味することになる。hyphen を続けたり，棒線を引いたりしたものも見かける。

(105) Strength of concrete according to settling time

Setting time in days	Strength in psi
1	…
2	…
3	2200

[注] psi = pounds square inch

19.9.2 ピリオドを付けない場合

19.9.2.1 科学符号などの後

略語から生じて，記号，符号になったものには，abbreviation period をつけない。1st, 2nd, 3rd, 4th などもその例である。他に H [① hydrogen，②電気の実用単位 Henry の略],
③鉛筆の硬さを表す単位の hard，Fe (ferrum=iron)，H2O，AC，DC などがある。

19.9.2.2 度量衡単位などの後

mph (=miles per hour)，rpm (=revolutions per minute)，
hp (=horse-power)，cm (=centimeter)，oz (=ounce)，lb (=pound)

19.9.2.3 ローマ数字の後

King Edward IV

19.9.2.4 表題，副題，見出し

Learning the Language; Magnetism—And Electricity; AUTO RACING; Singing in the Rain

19.9.2.5 立札，掲示，看板

Keep Out; Lost and Found

しかし，「主語＋述語」の形を取ったものは，省略しないのが普通である。

Kindly refrain from smoking. (お煙草はご遠慮ください)

19.9.2.6 コロンの次の列挙項目

コロンの次に，いくつかの項目が列挙されるとき

(106) However, these are considered of secondary importance in this discussion. Of major importance are:

Domestic use of fuel

Commercial use of fuel

Industrial use of fuel

(しかしながら，この審議では，これらは，2 番目に重要だと考えられている。次のものが最も重要である：

燃料の家庭使用

燃料の商業界での使用

燃料の工業界での使用)

しかし，次のように列挙されないとピリオドが付く。

(107) **Total fuel burned**: 11×106 lb per day in Los Angeles County.

Freeway speeds: 13%<35 mph; 27%, 35 to 50 mph; 60%> 50 mph; some traffic at 80 mph; average speed, 25 mph.

(総消費燃料 : ロスアンジェルスでは，1 日 11×106 ポンド)

(高速道路上の速度 : 時速 35 マイル以下 13%, 35-50 が 27%, 50 マイ以上 60%, 80 マイルを出しているものもいる。平均スピード 25 マイル)

19.9.2.7 数式の後

文が，改行された数式，あるいは，それに準ずるもので終わるとき，通常，ピリオドを付けない。

(108) Therefore, the complete shop order number will be

123457

（それゆえ，完全な店の注文番号は，123457 となるだろう）

次の例のように，式の行が変わらなければ，ピリオドは必ず付ける。

(109) The girl clerk has now solved the equation: D=(A − B) +C.

（その女店員は，今では，方程式 D= (A − B) +C を解いている）

19.10 question mark（疑問符）

キーボードで打つときは，疑問符 (?) の次は 2 スペース空ける。

19.10.1 一つ一つ疑問符を付けるとき

疑問事項がたくさんあるときは，一つ一つ疑問符を付ける。

(110) Have you heard the candidate give his views on civil rights? the war? or the farm problem?

（候補者が公民権か，戦争か，農業問題かに関して見解を述べたのを聞きましたか）

19.10.2 内容が定かでないとき

ある内容が定かでないときは，カッコに入れて用いる。

(111) He was born in 1933(?).

19.11 quotation marks（引用符）

初めの ‘ あるいは “ を open quotation mark，終りの ’ あるいは ” を close quotation mark と言う。疑問符 (?)，感嘆符 (!) などは引用符の中に入れる。

19.11.1 引用文

辞書の定義の引用なども含まれる。

(112) Keep in mind the saying ”Time is money.”

(「時は金なり」という諺を，心に刻み付けて置きなさい)

19.11.2 書籍，雑誌，新聞，船舶などの名

イタリック体を用いるときもある(§-19.13.2 参照)。

the “New York Times”, the “Queen Mary”

19.11.3 引用中の引用

引用中に引用があれば，double quotation marks と single quotation marks とを併用する。

(113) He said, “I don’t believe the proverb ‘Honesty is best policy.’”

(彼は言った。「正直は最良の方策」と言うことわざを，信じない，と)

19.11.4 言葉から浮き立たせるとき

他の言葉から浮き立たせるために，single quotation marks か double quotation marks を使う。

(114) A simple description of temperature is ‘a measure of hotness.’ We are able to sense that an object is ‘hot’ or ‘cold’ by touching it and, ….

(温度を簡単に記述したものは「熱さを測定」したものである。われわれは，ある物体が「熱い」か「冷たい」か，をそれに触れることにより，感じることができる，そして…)

(115) In describing the hologram process in the first chapter, the terms “deviated upwards” and “diffracted upwards” were rather loosely interchanged.

(第 1 章で，ホログラムのプロセスを記述する際に，「上方へそれる」と「上方へ回折する」という言葉が，やや不正確に互換的に用いられた)

19.12 solidus（斜線）

斜線を oblique stroke とか oblique line と言うが，[普通は単に oblique と言われている。

19.12.1 分数を示すのに用いる

1/3, 2/5, 21/7, *x*/a+*ay*/4

19.12.2 2 年連続する年

ダッシュよりも斜線を用いる

summer 2020/21，fiscal year 2020/21, 350/351 B.C.

なお , 2020 年 7 月 1 日を 1/7/2020 のように書くこともあるが，1 月 7 日と解する国もあるので避けた方が良い。1 July 2020 (米) か July 1, 2020 (米)，1st July 2020 (英)

19.12.3 per の代わり

per の代わりに用いる

km/hr (=kilometers per hour)

19.12.4 列挙する語

語を列挙するとき

Paris / London / New York / Honolulu / Tokyo

19.13 italics（イタリック体）

タイプ原稿や手書き原稿のときは，下線がイタリック体を示す。

19.13.1 強調のため

(116) In short, man can exercise *common sense*, a quality no machine yet possesses.

(要するに，人間は常識，つまり，どんな機械も持っていない特徴を行使できる)

(117) The term on the right-hand side, the product of mass with acceleration, is the *inertial force*.
(右辺の項，すなわち質量と加速度の積は，慣性力である)

(118) The intensity of the light passing through the hologram *is altered much as it would be if the light reflected from the object during exposure were added to it*.
(ホログラムを通る光の強さは，露光の間に被写体から反射される光がそれに加わるならば，そうなるであろうように変えられる)

19.13.2 本の題名，雑誌，新聞などの名称

(119) From the physiologist's viewpoint, space can best be thought of in the terms used by Dr. Hubertus Strughold, a pioneer in aviation and space medicine, who in his book *Man in Space* states: "Space…."
(生理学者の見地からすると，宇宙は，航空医学および宇宙医学の草わけであるH. ストラッグホールド博士が用いた言葉で考えるのが一番良い。彼は自分の『宇宙における人間』という本で次のように述べている。「宇宙は…」)

(120) *The Times* is a famous newspaper.
(『タイムズ』は有名な新聞である)

(121) My article appeared in *The Nature* last month.
(私の論文が『ネイチュアー』に，先月掲載された)

19.13.3 外国語

(122) One objective in a wider policy under consideration in France is to build up regional economic centres—*pôles de croissaace*—which in turn are linked to smaller communities for which they supply stabilizing employment.
(フランスで検討中の更に広範な政策の中の1つの目標に，地域的な経済センター「pôles de croissance」の建設がある。そ

して，これは安定した雇用を与えるために小さな地域社会とつながりを持つのである）

(123) Plans for making this measurement were announced by Bizina *et al.*; but as of the date of writing have not yet been published.
（この測定をするという計画は，ビジナなどによって発表されたが，本書執筆の時点では，まだ刊行されていない）

19.13.4 「…ページへ / から続く」を表わすとき

Brackets の項 (§19.2.4 参照。

19.13.5 記号や数式のアルファベット

文中の記号として用いるアルファベットや数式のアルファベット

the letter *b*, $a \times b = c$, $A - B/C$

19.14 capitalization（大文字）

19.14.1 文の語頭

文の始めの語頭

例文省略

19.14.2 人称代名詞の I と間投詞 O

例文省略

19.14.3 引用文の最初

引用文の最初の語

(124) He asked, "Are you going, too?"

しかし，引用句を中途で切ったときは，引用文でも大文字で始めない。

(125) "Is it," he asked, "because I am so ugly?"

19.14.4 宗教の名

宗教の名など

Buddha, the Holy Bible, the Koran, Zeus

19.14.5 特定の人を指す

特定の人を指すとき

(126) The President will speak at 10:00 a.m.
(大統領は午前 10 時に演説します)
[大文字のため特定の大頭領を表わす。従って，ここでは，アメリカの大統領を指す]

19.14.6 役職上の肩書

役職上の肩書を指すとき

President Trump, Queen Elizabeth II

19.14.7 固有名詞，月名，曜日，固有形容詞など

固有名詞，月の名，曜日の名，固有名の形容詞など

Fifth Avenue, Hollywood, Japan, May, Sunday, Shakespearean

19.14.8 書物の名の頭書，表題

文中の接続詞，冠詞，5 字以内の前置詞は小文字が普通である。

(127) *The Analytical Engine—Computers—Past, Present and Future*
Model Investigation of the Unstiffened and Stiffened Circular Shells
Measurement of Surface Strain by Means of Bonded Birefringent Strips

19.14.9 機関名，役所名，社名など

接続詞，冠詞，5 字以内の前置詞は小文字が普通。語頭の定冠詞はその名の一部でないことを注意したいときは小文字で始めるときもある。

(128) The World Publishing Company, the Boy Scouts of America,

League for Equitable General Legislation Office for Operations in Political Systems

19.14.10 天体の名

the Great Bear, Jupiter, Mars, Sirius

ただし earth, moon, sun は，他の天体と共に用いられるときにのみ大文字で始める。

19.14.11 商標名

Hovercraft, Kodak, Vaseline

19.14.12 生物学，植物学の属

Houstonian caerulea, the Shetland pony

[後に続く単語は，種(species)を表わすので，小文字で始めている]。

19.14.13 コロンのあと

定義や列挙などが続くとき

(129) Many methods have been proposed for detecting and measuring the internal strains in a residually stressed body, but generally these can be classified under three main headings:

a) Strain release and measurement by bending deflection.

b) Direct strain release and measurement.

c) X-ray and. other non-destructive strain-detection methods.

(残留応力の加わっている物体内の内部ひずみを検知し，測定する多くの方法が提案されているが，これらは，一般に，次の 3 つの主要項目に分類できる。

a) ひずみを解放して，曲げのたわみで測定する 方法

b) 直接ひずみを解放して測定する方法

c) X 線やその他の非破壊ひずみ検出法)

(130) Gamma rays of such energies are absorbed in matter mainly by

the photoelectric effect: *Each* gamma photon shoots through the absorbing material until it collides with an atom.

（そのようなエネルギーのガンマ線は，物質中で主として光電効果により吸収される。各ガンマ線光子は吸収物質を通って進み，原子と衝突する）

ただし，次の that ように小文字のときもある。

(131) The conditions required are: 1. *that* the nucleus emitting the gamma ray be bound firmly in a crystal lattice structure, and 2. *that* the energy of the emitted gamma ray be not too great.

（必要となる条件は次のようである。1. ガンマ線を放出する原子核が結晶格子構造の中にしっかりと結合されていること。2. 放出されるガンマ線のエネルギーが大きすぎないこと）

強調しないで，単なる説明のときは，次のように小文字のときもある。

(132) The laser enables us to apply all the techniques of radio transmission: *modulation*, *frequency changing*, and *amplification*, to communication or radar systems which use the very-high-frequency electromagnetic radiation called light.

（レーザーには，無線通信のすべての技術を適用できる。つまり，光と呼ばれる非常に高い周波数の電磁波を用いる通信やレーダー・システムに対して，変調，周波数変換，および，増幅ができることになる）

19.15 numeral（数字）

3 桁以上の数字は，数字のまま表記するのが望ましいとしている参考書が多い。一目で，量が認識できるからだろう。1 桁と 2 桁の数字はアルファベットで綴（つづ）ることになる。科学・技術分野やビジネス分野では，果たして，このルールが，守られているだろうか。

19.15.1 ページは数字

ページは常に数字のまま表記する .

(133) The table is on page 15. (表は 15 ページにあります)

19.15.2 単位や符号

単位や符号, つまり, centimeter, inch, gram のような語の前は, 通常, アルファベットで書き，記号のときは数字のままで書く。

five centimeters，*three* miles，*four* inches，*five* grams,

80 %，10 cm，*5* ℃

19.15.3 同一文中の 2 つ以上数字

同一文中に数字が 2 つ以上あれば，2 桁以下でも数字のまま用いる方が良い。

(134) If it is 10 cm across and 15 cm deep, that is enough.
(直径が 10 センチ，深さが 15 センチあれば十分である)

19.15.4 more than, less than などの後の綴り字

more than, less than, fewer than などの次は，通常，つづり字を使う

(135) More than *four hundred* people attended the meeting.
(その会合に出席した人は，400 人以上だった)

(136) Less than ten students remained in the class.
(クラスに残っていた学生は 10 人以下だった)

19.15.5 時間

a.m.，p.m. は数字と共に用いる。

8:30 a.m./11:00 p.m.　数字と a.m. や p.m. の間は 1 スペース開ける。

o'clock の前ではつづり字が良い : four o'clock

19.15.6 小数点を含む数字

小数点を含む数字は，数字のままが良い : 5.1, 10.3

以上のほかに注意すべきことは，文頭に数字がきた場合には，数字のままを文頭に出さない。つづり字に直すか，The number of 125 .... のように書く。しかし，式は数字のままで良い。

住所や地名は，数字か綴り字かが決まっているから注意。例えば，New York では 12 番街までは，綴るが 13 番街からは 13th Street のように数字を使っている。

References

Dictionaries

Evans, B. and Cornelia Evans (1957), *A Dictionary of Contemporary American Usage*, Random House, Inc., New York.

Hornby, et al. (2007) *The Advanced Learner's Dictionary of Current English*, Oxford University Press, UK.

篠田義明 (2020)『科学・ビジネス英語活用辞典』研究社, 東京.

Books

Allen, Lori and Dan Voss (1997), *Ethics in Technical Communication*, John Wiley & Sons, Inc. NY.

Basturkmen, H. (2006), *Ideas and Options in English for Specific Purposes*, Lawrence Erlbaum Associates Publishers, London.

Bickle. M.D. and Martha E. Passe (1963) *Reading for Technical Writers*, The Ronald Press Company, New York.

Brown, B.W. (2000) *Successful Technical Writing: A Practical Approach*, The Goodheart-Wilcox Company, Inc., Illinois.

Brown, James Dean (2015), *Introducing Needs Analysis and English for Specific Purposes*, Routledge, New York.

Fowler, H.W. (1996), *Modern English Usage* (3rd), Oxford University Press, UK.

Hick, T.G. (1990) *Successful Technical Wriing*, McGaw-Hill Publishing Company, New York.

Hornby, A.S.(1975) *Guide to Patterns and Usage in English* (Second Edition), Oxford University Press, Ely House, London., London.

Jespersen, Q. (1956) *Philosophy of Grammar*. Basil Blackwell Oxford, Oxford.

Jordan, R.R. (1997) *English for Academic Purposes*, Routledge, London.

Leech, G.N.（1966）*English in Advertising*, Longman, Green and Co., Ltd., London.

Mathes, J.C. and Dwight W. Stevenson (1991) *Designing Technical Reports: Writing for Audiences in Organizations*. Macmillan Publishing Company, New York.

Mills, G.H and John A Walter (1986), *Technical Writing*. Hold Rinehart and Winston, New York.

Morris, Christopher (1992), *Academic Press Dictionary of Science and Technology*, Academic Press, Inc., California.

Partridge Enc. (1997), *Usage and Abusage*, W. W. Norton Company, Inc., NY.

Perkins. L. G. and J. I. Cranor (1970), *Professional Technical Writing*, Webeat Plus, IN, USA.

Paltridge, B. and Sue Starfield (2014) *The Handbook of English for Specific Purposes*, Wiley Blackwell, West Sussex.

Quirk, R. (1972) *English Language Teaching*. Longman Group Limited, London.

Rundell, Michel (2010) *Macmillan Collocations Dictionary for Learners of English*, Macmillan Publishers Limited, Oxford.

Savory, T. H. (2011) *The Character of Language of Science*, Nuba Press, Berlin.

Sawyer, T.M. (1977) *Technical and Professional Communication*, Professional Communication Press, Inc., Ann Arbor.

Shinoda, Yoshiaki (2003) *Instructing Japanese Learners of English Technical and Scientific Writing: The Rhetorical Approach*. Kenkyusha Limited, Tokyo.

Tarutz, Udith A. (1992) *Technical Editing: The Practical Guide for Editors and Writers*, Addison-Wesley Publishing Company, New York.

Tusting, K., Sharon McCulloch, Ibrar Bhatt, Mary Hamilton, and David Barton (2018), *Academic Writing: The Dynamics of Knowledge Creation*, Routledge, New York.

Weisman, H.M. (1985) *Basic Technical Writing*, Charles E. Merrill Publishing Company, Columbus.

Wilkinsn, Antoinette Miele (1991) *The Scientist's Handbook for Writing Papers and Dissertations*. Prentice Hall, Prentice.

篠田義明, J.C. マスィズ, D.W. スティブンソン (2008)『科学技術英文の論理構成とまとめ方』南雲堂, 東京.

篠田義明 (1981)『テクニカルイングリシュ論理と展開』同上

――――― (1993)『科学技術論文に頻出する英語表現　[1]』日興企画

――――― (1995)『科学技術論文に頻出する英語表現　[2]』同上

――――― (1986)『科学技術英語の正しい訳し方』南雲堂

――――― (2001)『IT 時代のオールランド　ビジネス英語』同上

――――― (2007)『伝える英語の発想法』早稲田大学出版部

――――― (2014)『ICT 時代の英語コミュニケーション：基本ルール』南雲堂

――――― (2015)『英文書類や英語論文の基本表現』同上

――――― (2021)『5 分間　科学技術英語』同上

索 引

[B]

[C]

[F]

[G]

[H]

[I]

[J]

[K]

[L]

[M]

[N]

[O]

[P]

[T]

[U]

[V]

[W]

[X]

[Y]

[Z]

◉ 著者紹介

篠田義明（しのだよしあき）教育学博士
現在、早稲田大学名誉教授。東京電機大学客員講師、Okinawa International School 名誉理事、日本実用英語学会会長
・ 米国ミシガン州 Ann Arbor 市名誉市民。瑞宝中綬賞受章（2015）。
・ 早稲田大学教育学部卒業。ミシガン大学にてテクニカル・コミュニケーションを修学。The University of Michigan の Visiting Professor と Inviting Professor（招聘教授）、東京大学大学院、東京医科歯科大学、島根県立大学、法政大学などの講師を歴任。専門は、ビジネス・コミュニケーション、テクニカル・コミュニケーション、日本語の論理構成。
・ 参議院、総務省、郵政大学校、産総研などの官公庁や日立、トヨタ、日産、マツダ、新日鉄住金、NEC、IBM、JAL、ソニー、武田薬品、大日本印刷、日本電産など 100 社以上の企業で実用英文、ビジネス E メールの英語、英語論文、実用日本文の論理構成を指導。
・ 著書:『科学・ビジネス英語活用辞典』（研究社）、『コミュニケーション技術』(中公新書)、『ビジネス・論文・レポートの文章術』（南雲堂）、『ICT 時代の英語コミュニケーション:基本ルール』（南雲堂）、『科学技術英文の論理構成とまとめ方』（南雲堂）、『5 分間 科学・技術英語』（南雲堂）、『英文書類ヤ英語論文で必須の基本表現』（日興企画）など 100 冊以上に及ぶ。
・ On Line:「避けたい英語」「信用される実用英会話」「科学論文英語・実用英語の基本」社団法人　日本オープンオンライン教育推進協議会（JMOOC）

科学・技術英語の語法百科

2023 年 6 月 24 日　　1 刷

著　者 — 篠田　義明
発行者 — 南雲　一範
発行所 — 株式会社　南雲堂
〒 162-0801　東京都新宿区山吹町 361
TEL　03-3268-2311（営業部）
TEL　03-3268-2387（編集部）
FAX　03-3269-2486（営業部）
振替　00160-0-4686（営業部）
編　集 — 加藤　敦
組　版 — Office haru
装　丁 — 銀月堂

＜検印省略＞ Printed in Japan　　乱丁・落丁本はお取り替えいたします。

ISBN978-4-523-26614-3　C0082　　[1-614]

E-mail　nanundo@post.email.ne.jp
URL　https://www.nanun-do.co.jp/